総理通訳の外国語勉強法

中川浩一

講談社現代新書

2559

はじめに

「中川さんには、アラビア語をやってもらいますので、よろしくお願いします」

1993年秋、翌年春から外務省に入省することが内定していた私に、外務省の人事課から一本の電話がありました。

思いがけない朝早くからの電話を、私はにわかに信じることができませんでした。

なぜなら、外務省では、入省する際に専門語学が割り当てられることになっており、第5希望まで書いて人事課に提出するのですが、私はどこにもアラビア語とは書いていなかったからです。

私は途方に暮れました。

アラビア語は、アメリカ国務省付属の語学機関が最難関と評価する言語であり、日本の外務省でも、海外での語学研修期間を3年間と、一つの言語では最も長く取っているのです（他の言語は2年間）。

世界最難関のアラビア語を前に、これから登らなければならない壁がどれぐらい高いのか想像もつきませんでした。しかし、外交官として国際社会で活躍することを夢見ていた私は、気持ちを切り替え、ここから、国内にある外務省の研修所で1年間（1994年）、エジプトで3年間（1995〜1998年）の語学研修をスタートさせたのです。

エジプトでは、第1章に書いたように、大変な苦労を味わいましたが、それでもなんとかそれを乗り越え、その後、パレスチナにある日本政府代表事務所に勤務したときは、歴史上の人物アラファトPLO（パレスチナ解放機構）議長の会談を、アラビア語で通訳できるまでになりました（1998年12月）。

さらに、その後東京本省に戻ると、天皇陛下、皇太子殿下、総理大臣、外務大臣などの通訳を数多く行うことができました（初めての総理通訳は2002年12月）。

結果的に、私はアラビア語をゼロから始めて、公式の外交交渉の会談通訳を行うまでの期間が4年8ヵ月、総理大臣の通訳を行うまでの期間は8年8ヵ月でした。英語でいえば、中学1年生から勉強を始め、高校2年生で外交交渉、大学3年生で総理大臣の通訳を経験したことになります。

ちなみに私は、京都の田舎の公立高校出身で、帰国子女ではありませんし、学生時代に留学経験もありませんでした。

もちろん、そこに至る道のりは並大抵ではありませんでしたが、多くの苦難を乗り越える中で、私は最も効率的で最短の外国語攻略法を見つけることができました。

私は、皆さんには、外国語を習得する際に、私のような苦労は決して味わってほしくありません。

ですので、今から英語以外の新しい外国語を学ぶ方、あるいは英語の勉強をしたけれど、ものにできず、もう一度、一から英語に取り組もうとする皆さんには是非この本を読んでから勉強を始めてほしいのです。

私がアラビア語で編み出した勉強法は、英語を含む全語学に通じます。

やればできる！

この本で、一人でも多くの日本人が外国語を習得され、グローバル社会で活躍されることを祈念します。

なお、本書の記述内容は、外務省を代表したものではなく、あくまで私個人の経験に基づいたものです。

目次

はじめに ―― 3

第1章 総理通訳への苦難の道のり ―― 11

総理大臣の通訳になるには／外交官を目指した理由／まさかのアラビア語／外務省に入ってアラビア語の勉強開始／アラビア語の難しさ／いざ、エジプトへ。通じない言葉／逆境をプラスに変える勉強法／カイロ・アメリカン大学の授業／ひたすらプレゼン／トンシー教授との出会い／3つの言語が一文で混じり合う／イスラエルへの短期留学／正しい日本語に訳せない／自分でゼロから単語集を作成する／英語にも通じるアラビア語勉強法／パレスチナでの勤務へ／アラファト議長の素顔

第2章 外国語習得のエッセンス ―― 35

①外国語の習得には1パーセントの才能もいりません。器用でなくてもいいのです。正しい方法と謙虚さを持って努力するのみです
②日本人は外国語学習に向いています
③外国語を学ぶことは未知の世界との遭遇です。楽しみながらマスターして外国人の心の

「扉」を開きましょう

④自分が外国人と話しているかっこいい姿をイメージしましょう。語学の勉強に踏み出せないとき、勉強に行き詰まったときの突破口になります

⑤外国語の習得に「なぜ？」は不要です。寛容の精神で丸ごと受け入れましょう

⑥外国語学習の目的、目標、期間を明確にしましょう

⑦外国語学習は、スタートダッシュが「肝」です。まずは、安定飛行に乗せましょう

⑧外国語学習は、毎日しなくて良いのです。オンとオフを上手く使い分けましょう

⑨外国語学習は、一にも二にも「集中力」がポイントです。緊張感のない中での「ながら」学習は時間の無駄です

⑩単語を覚えられないからといって、意味を推測してはいけません

⑪発音は、文字どおり音を発することが何より重要です。きれいな発音は後から付いてきます

⑫リスニングで「聞き流し」勉強は絶対ダメです

⑬効率性を言い訳にグループ学習から逃げてはいけません。とにかく人前で話しましょう。恥をかかずに上達はありません

⑭マンツーマン授業はあなたが主役。たくさん話して間違いを直しましょう

⑮外国人とのコミュニケーションに「テスト脳」は不要です

第3章 「ネイティブ脳」より「日本語脳」 65

○「日本語ファースト」。まず、日本語で話す内容を考え、それから外国語に「置き換え」ましょう
○「ネイティブ脳」神話は捨てましょう
○「ネイティブ脳」は「わかったつもり」がこわい
○外国語の「題材」はあなたの意思で探しましょう
○日本語訳を先に見て予習しましょう。「日本語脳」を回転させてから外国語を受容しましょう

第4章 「インプット」より「アウトプット」 77

○「受け身」のインプットだけでは外国語学習はつまらない
○「リーディング」から始めない。それは「悪魔のささやき」
○「音」から「入る」リスニング学習は間違い。「スピーキングファースト」で行こう
○アウトプットを繰り返すと発音が良くなる
○インプットとアウトプットは5対5の割合で
○インプットしすぎた英語をやり直すには
○一つの日本語からいくつの英単語が言えますか

第5章　外国語習得の具体的メソッド

第5章　外国語習得の具体的メソッド　93
①いつでも話せる「自己発信ノート」を作る
②自分仕様の「オリジナル単語帳」を作る
③「表現力」を高めるパラフレージング
④「瞬発力」を鍛えるクイックレスポンス
⑤「メモを取らない力」を身につけるリプロダクション
⑥「要約力」を磨くサマライジング
⑦「理解力」を強化するＤＬＳ（Dynamic Listening and Speaking）

第6章　通訳のすすめ

第6章　通訳のすすめ　137
○通訳をやると、あなたの語学力は確実にアップします
○通訳は日本人と外国人の橋渡しです。自分の外国語が役に立つ快感を味わってください
○通訳は言葉を訳すだけが仕事ではありません。人間の「心」はＡＩでは決して伝えられないのです
○準備の徹底度で本番の成否が決まります
○作戦ペーパーの入手、翻訳
○被通訳者に関する情報収集
○「オリジナル単語帳」の見直し

○イメージトレーニングで本番モードへ
○一発勝負のスポーツの試合に臨む気持ちで
○本番での段取り、自分の動きを確認する
○本番開始。やりきったとの気持ちをもって
○「テンポの良さ」と「大きな声」が通訳の要諦
○メモに頼らない
○通訳は言葉ではなくメッセージを伝えましょう
○本番では思い切り背伸びして、あなたの実力を見せつけましょう
○通訳は黒子だがマネージャー
○集中力、持久力の限界
○強い責任感とかいた汗の量が苦しいときの最後の突破口に
○総理通訳の「醍醐味」

おわりに

第1章　総理通訳への苦難の道のり

総理大臣の通訳になるには

総理大臣の通訳はそもそも誰がやっていて、どうやったらなれるのですか?

このような質問をよく受けますが、日本の総理大臣と各国首脳の会談、いわゆる「首脳会談」の通訳の任務を負っているのは、外務省の職員、つまり「外交官」です。

ですので、総理大臣の通訳になるには外務省の採用試験に合格する必要があります。

外務省は、44の専門言語(168ページ参照)を新入職員に割り当てますが、その後の海外での語学研修の成績および海外の大使館、東京本省での通訳実績、評価などを踏まえ、各言語の中で最も優秀な者がその言語の総理通訳になるのです。

外交官を目指した理由

もっとも、私は、はじめから総理大臣の通訳になりたいと思って外交官になったわけではありません。

高校まで京都の田舎で外国とは縁遠い生活をしていた私でしたが、大学受験の際に予備校の友人が貸してくれたある本に書かれていた「外交官」という職業を単純にかっこいいなと思った、いわゆるビビッときたのをきっかけに、私はそれ以降、何かに取り憑かれたかのように国際社会で活躍したいと思い、大学時代から外務省、外交官を目指すようになったのです。

まさかのアラビア語

そして、1年留年してなんとか外務省の採用試験に合格したのですが、私を待ち構えていたのは、まさかのアラビア語でした。

そもそもアラビア語ってどの国で話されているの？（答えは中東のアラブ諸国22の国と地域）そんなレベルでした。

本当にショックでしばらく放心状態でしたが、よく考えれば、留学経験もまったくない私が、外務省の採用面接で伝えられたのは、外交官になりたいという意気込みと、国際社会の多様な価値観を知って自分を成長させ、ひいては日本という国に貢献したいという外務省を目指す人なら誰でも言うようなことでした。

ですので、実は人事課は私の希望を叶えてくれたのかもしれません。イスラム世界ほど、日本と価値観の違う世界はありませんよね。アラビア語はこのイスラム世界の多くの国、地域で話されている言語なのです。

外務省に入ってアラビア語の勉強開始

こうして、徐々に気を取り直した私は、アラビア語に立ち向かうことを決意し、1994年4月に外務省に入ると、早速アラビア語の勉強が始まりました。

しかし、その難しさは生半可なものではありませんでした。

語学の勉強はまず、文字を書く練習とその発音練習からですよね。ビジネスパーソンの方で英語をやり直したい方も、さすがにアルファベットを書く練習はいらないと思いますが、アラビア語はあの「みみず」の這ったような文字の練習からスタートです。多くの言語と異なり、アラビア語は右から左に書きます。

文字は意外にも全部で28字しかありません。しかし、次の文字につながると形が変化するのがやっかいです。そして発音は大変難しいです。喉の奥から発音する文字や、口の開き具合で音を調整する文字もあります。

外務省に入って最初の1ヵ月は、仕事に入るための各種講義が半分、残りの半分はアラビア語の授業を研修所で受けましたが、この期間は、あまりの難しさに結局文字を書く練習と発音練習で終わってしまいました。前途多難です。

続く5月から翌年の2月までは、週2回午前中に語学研修があるのですが、あとは普通に外務省で働くので、この10ヵ月間は遅々として学習は進みません。

そして同年6月に海外研修に行くまでの最後の3ヵ月間でもう一度研修所に入り、語学研修を行いました。

アラビア語の難しさ

ここでなんとか最低限の文法と会話をマスターしようと思ったのですが、アラビア語はやはり難しいのです。

英語と違い、男性、女性、単数、双数、複数により文法が変化します。

また、名詞ごとに男性、女性が決まっており、これを覚えないと、正しく活用ができません。

さらに、アラビア語の単語は基本的に3つの語根で成り立っており、この最初の語根の文字がわからなければ、辞書すら引けないのです。

たとえば、英語でいうと、port（運ぶ）という語源（根）から派生して、import（輸入する）、export（輸出する）、report（報告する）、support（支持する）、portable（持ち運びできる）などの単語が出来上がっています。そして、英語の場合は、辞書で調べる際、各単語の最初の文字で引けばよいのですが、アラビア語の辞書の場合は、語源（根）のportの箇所にすべての派生する単語が入っているため、pという語源（根）の最初の文字を見つけ出せないと意味を調べられないという事態になります。

さらに、アラビア語は主語や時制に応じ、各単語の前後にくっつく形で字が書かれます。英語でたとえると「私は輸入するだろう（I will import）」と言う場合は、Iwillimportとなるため、文法を理解してからでないと語源（根）が見つけられず辞書を引くことができないのです。

このように、アラビア語が世界最難関とされる理由は枚挙にいとまがありませんが、なかでも最大の難関は、新聞、ニュースなどで使う書き言葉（フスハーと言います）と日常会話で使う話し言葉（アンミーヤと言います）がまったく違うことです。

あえて、日本人にわかりやすく言うと、フスハーは平安時代の古語、アンミーヤは現代の日本語になるでしょうか。実際はもっと違う感覚です。

「今日」とか「明日」とかいう基本的な単語も、書き言葉と話し言葉で異なります。参考書で習う単語や文法は、書き言葉のためだけのものであり、話し言葉はまったく別途の語学として勉強する必要があるのです。

要は、アラビア語をマスターするためには、同時に二つの語学を学習することが必要になるのです。

私は、日本では、時間的余裕がないので、書き言葉の初歩だけを学びました。やはり外交官という職業では新聞が読めないといけないので、これが優先です。

別に私はアラビア語の難しさを自慢したいわけではありません。

しかし、これをどう乗り越え、最終的に総理大臣の通訳を務めるまでになれたかということは、これから新しい語学を始められる方はもちろん、英語をやり直したい方にも是非知っていただきたいと思うのです。

外国語を攻略することに、どの語学かは関係ないと思うからです。

いざ、エジプトへ。通じない言葉

そうこうするうち、あっという間に国内での研修期間は終わり、1995年6月、私は、エジプトに飛び立ちました。3年間という長い海外研修のスタートです。

しかし、カイロに到着し、エジプト人に話しかけて、いきなりショックに見舞われました。アラビア語でHow are you?と話しかけてみましたがまったく通じないのです。

ちなみに、How are you?をアラビア語の書き言葉ではカイファハールカ、エジプトの話し言葉ではイッザイヤックと言いますが（ただし、相手が女性の場合は、最後がそれぞれキになります）、私はカイファハールカと言ってしまったのです。

日本で先生から違うよと言われていても、私は高を括っていたのです。書き言葉と話し言葉がまったく違うことを、エジプトに留学してから初めて肌感覚で知りました。

その後、エジプトで生活を始めると、書き言葉を中心に勉強するので、少しずつ新聞などの文章は読めるようになるのですが、何せエジプト人と会話ができません。

さらに、外務省では、英語以外の言語が専門になった職員は、自分で英語も勉強する必要があります。当然といえば当然ですが、英語以外の言語が専門になったから、英語はできなくてもいいとはならないのです。英語はできて当たり前という雰囲気です。

外務省に入る前、留学経験など一切ない私は、エジプト留学中に英語の勉強もやらなくてはなりませんでした。

要はアラビア語書き言葉、アラビア語話し言葉、英語と3つの言語を3年間でマスターしなければならない、3年後には、アラビア語で外交交渉の通訳をし、英語も外交の通常業務で使わなければならない境遇に置かれたということになります。

逆境をプラスに変える勉強法

しかし、今から思えば、この環境が逆に良かったのかもしれません。

私はとにかく成果を出すための最短の方法を考えました。

外交官にとって成果を出すというのは、試験で良い点数を取ることではありません。

外交交渉がアラビア語と英語でできて、アラビア語で通訳ができて、それを成功させることです。

そのためには、英語も含めとにかく話せなければならない、すなわち、すべての学習のゴールを「話すこと」にして、そこから逆算したのです。つまり「スピーキングファースト」です。

この方法は、結果的に、逆境をプラスに変えることになりました。

その極意は次章以降でお伝えしたいと思います。

カイロ・アメリカン大学の授業

兎にも角にもエジプトでの留学生活が始まりましたが、発展途上国での生活、しかもエジプト人とはろくに話せないので、最初の2ヵ月はストレスの連続でした。

その後、9月からはカイロ・アメリカン大学での授業が始まり、私は、アメリカ人、フランス人の外交官やジャーナリストなどと一緒に少人数の授業を受けました。

授業は朝8時から午後2時30分まで、その後は家庭教師のマンツーマン授業を受けました。大学からも家庭教師からも猛烈な量の宿題が出たので、がむしゃらにくらいついていきました。

このようなスケジュールで、カイロ・アメリカン大学では翌年の5月までみっちり鍛えられました。

ひたすらプレゼン

なかでもいちばん大変だったのは、毎日授業で必ずプレゼンを行わなければならないことでした。

皆さん、もし、まったく習っていない言語で、明日プレゼンしなさいと言われたらどうしますか。何がいちばん効率的な対処法だと思いますか。何もわからない外国語のテキストをただただ見ることでしょうか。

そうではなくて、やはり日本人である以上、話す内容を日本語で考えることから始めるのではないでしょうか。そして、それをなんとか辞書や参考書などで調べて外国語に置き換えて話すのではないでしょうか。

当時の私は、まさにそんな状況でした。

このように追い込まれた環境は、私に、まず日本語で何を話す（アウトプット）のか考え、それと同じ意味の外国語の単語、表現、文章を辞書や参考書で調べ、インプットして直ちにそれをアウトプットする勉強法を確立させました。

皆さんが受験英語で学習してきたインプットありきの方法とはまったく逆の方法です。

しかし、結果的にこのスタイルが大成功で、私のスピーキング能力を大きく伸ばすことにつながりました。

求められるアウトプットにインプットが追いつく余裕がまったくなかったことが逆に奏功したのではないかと思います。詳しくは第4章で説明します。

トンシー教授との出会い

カイロ・アメリカン大学では、私の運命を変えるすばらしい教師と出会えました。当時、同大学の看板教授として活躍していたアッバース・トンシー教授です。

トンシー教授は大変厳しい方ですが、アラビア語に苦労する私を正しい道へといざなってくれました。彼の下で私のアラビア語は急速に上達していきました。

同教授からは、大学の授業の他に週2回、一回2時間のマンツーマン授業を受けましたが、毎回スピーキングテストがありました。

あらかじめ自分で予習してプレゼンするだけでなく、その場でいきなり課題を出されることも多かったのです。

トンシー教授には私のスピーキングについて徹底的にダメ出しをされ、毎回落ち込む日々でしたが、それでも必ず〝処方箋〟を出していただけたので、愚直に吸収していきました。

同教授と行った勉強法は第5章で説明します。

3つの言語が一文で混じり合う

まさに神アッラーの思し召しがあったかのように、私のアラビア語はなんとか軌道に乗っていきましたが、それでもその過程は決して平坦ではありませんでした。

特に大変だったのが、話したい一つの文章の中に3つの言語、先述のアラビア語書き言葉、アラビア語話し言葉、英語が混じり合ってしまう期間でした。

皆さんにわかりやすいたとえでお伝えすれば、私が大学進学にともない、京都から上京してきたにもかかわらず、名古屋出身の友人が多くできた（実話です）ため、一つの文章の中に、東京弁、京都弁、名古屋弁が混じってしまうイメージ、つまり、「アラビア語は難しいんやけど、おもろいところもあるじゃん、そやからやみつきになっちゃってさ、これからも頑張るだがや！」と言ってしまう感じです。

一体自分は何人なのだろうかと自分のアイデンティティを疑うこともありました。

イスラエルへの短期留学

こうしてエジプトで1年が経ったとき、私に大きな転機が訪れました。

1年間アラビア語をやって徐々に新聞も読めるようになると、そこには、アラブ諸国の敵であるイスラエルの悪口ばかりが書かれていることがわかりました。

イスラエルが、歴史上いかにパレスチナ人を虐げてきたか、中東和平が進まないのはイスラエルのせいだといったような内容です。

私は、そのイスラエルがどのような国かを知りたいと思い、カイロ・アメリカン大学の夏休み期間を利用して、イスラエルにある大学のサマーコースに通いました。また、その機会に、ガザにあるパレスチナ人の難民キャンプを訪問し、エジプトで1年間勉強したアラビア語で一生懸命話しました。

私のアラビア語はまだまだでしたが、やはり自分の言葉でパレスチナ人に直接これまでの歴史について質問できたことは、その後、エジプトに戻って研修を続けるにあたり大きな動機づけとなりました。

そして、私は研修終了後の勤務先（外務省では語学研修終了後は通常海外の大使館に勤務します）として、パレスチナを熱烈に希望するようになったのです。

そこで私が実感したのは、語学は机の上だけではやはりだめで、現地の人と話すことが大切だということ、そしてある程度語学の勉強が進んだら、その語学で何を話すのかが重要だということ、そのためにはその語学に関連するトピックに関心を持たなければならないということです。

正しい日本語に訳せない

エジプトでの研修も後半に入ると、私もようやく書き言葉、話し言葉それぞれにそれなりの語彙力も蓄えられたので、そろそろ来たるべき外交交渉や通訳に向けて、アラビア語訳、日本語訳の練習をしようと思っていたのですが、当時は、アラビア語・日本語の辞書も単語集も存在しませんでした。

あるのはハンスヴェーアというアラビア語・英語の辞書のみだったので、私は、結局、英語を基に日本語に訳さざるを得なかったのです。

そのような状況下、カイロ大学日本語学科のイサーム・ハムザ先生と知り合うことができました。奥様が日本人ということもあり、イサーム先生は大変上手な日本語を話されたので、私は研修の後半は同先生との授業に時間を多く割き、翻訳、通訳練習を徹底的に行いました。

そして、その授業の中で、それまでの英語を介して訳していた自分の日本語が、いかに正しい日本語と乖離（かいり）していたかを知ることになりました。

まったく意味を取り違えていた単語、熟語から、微妙なニュアンスの違いを理解できていなかったものまで含めると、それは相当な数にのぼりました。

たとえば、アラビア語で「ナッダダ」という動詞があるのですが、これをアラビア語・英語の辞書で引くとcriticizeが出てきます。そして、これを英和辞典で調べると、「非難する」「責める」「批判する」「論評する」と4つの意味が出てきます。

私は、最初にこの単語に接したときの文脈から「論評する」と覚えていたのですが、イサーム先生からは「批判する」が日本語訳として最も適切との指摘を受けました。日本語で、「批判する」と「論評する」では相当なニュアンスの違いがありますよね。

自分でゼロから単語集を作成する

私は愕然（がくぜん）としました。

エジプトに来て以来、一生懸命辞書を引いて、英語を介して覚えた私のアラビア語学習には何の意味があったのだろうか。英語学習で英語・日本語の辞書、単語集が存在するように、もし最初からアラビア語・日本語の辞書、単語集があれば、英語を介する必要もなかったし、そうすれば間違った日本語を記憶することもなかったと思うとやるせない気持ちになりました。

研修1年目に、カイロ・アメリカン大学で行った私のプレゼンも、実は、考えていた内容とはズレたことをアラビア語でプレゼンしていたかもしれないと思うと悔しかったです。しかし、そのような環境を恨んでいても何も始まりません。

誰も作らないなら、自分が作ればいいと奮起し、私は、そこから、イサーム先生に習った正しい日本語訳を基に、自前で本格的な単語集を作成し始めました。

それが、この本でおすすめしている「オリジナル単語帳」の原点です。

そして、私がこの本で紹介する勉強法も、正しい日本語訳になかなか巡り合えなかったという苦い経験から生まれました。

استدرج	呼び戻す	استدرجت منظمة التحرير الأطراف الأخرى في مباحثات السلام .	PLOは和平交渉で他の関係者を呼び寄せた。
اندرج فی / تحت	～に含められている	تندرج زيارة فلسطين في البرنامج .	パレスチナ訪問がそのプログラムに含まれている。
استدرك	訂正する	استدرك خطأه .	自らの誤りを訂正した。
استدعى	召還する、要求する	استدعى السفراء في الشرق الأوسط .	中東の大使を召還した。
ادّعى	主張する	ادّعى أنها عادل ومستقيم .	彼女が公正で真っ直ぐな人間だと主張した。
اندغم مع	～と調和する	هذا المناخ يندغم مع المجتمع العربي .	この雰囲気はアラブ社会に調和している。
تدفّق	溢れる、どっと流れ出る	تدفّقت المياه من النهر .	水が川から溢れた。
دقّق	詳細に調べる	دقّق الحادث في الشارع .	その通りでの事件を詳細に調べた。
اندلع	勃発する	اندلعت الحرب العالمية .	世界戦争が勃発した。
اندمج	結合する、溶け合う	اندمجت الشركتان .	2つの会社が合併した。
دنّس	冒涜する	دنّس شارون المسجد الأقصى .	シャロンがアクサー・モスクを冒涜した。
تدهور	悪化する、崩れる	تدهور الوضع الأمنى .	治安状況が悪化した。
داهم	急襲する	داهمت الشرطة المبنى .	警察はその建物を急襲した。
دشّن	開始する、引き渡す	دشّن المصنع .	工場を開業した。
أذعن لـــ	～に従う	أذعن لطلب الشعب .	国民の要望に従った。
ذلّل	地位を下げる	تذليل العقبات	障害の緩和
تذمّر من	不平を言う	تذمّر من الوضع الحالى الصعب .	現在の困難な状況に不平を言った。
تذبذب	震動する、揺れ動く	تتذبذب ثقة الشعب تجاه الحكومة .	国民の政府への信頼が揺らいでいる。
أذهل	当惑させる、忘れさせる	أذهل الولد مدرسه .	子供は自分の先生を忘れた。
ذاب فی	～に溶ける、消える	ذاب الثلج في الكأس .	氷がコップの中で溶けた。
تربّص	待ち伏せする	تربّص المجرم لضحيته .	犯人は狙いを定めた人物を待ち伏せした。

65

「オリジナル単語帳」。これはエジプト時代に作成したものを基に、帰国後、整理してまとめたもの。

英語にも通じるアラビア語勉強法

先述したように、外務省には外交官である以上英語はできて当然という雰囲気がありますし、そうあるべきだと私も思います。

しかし、なにぶん、留学経験もなかった私は、来たるべき大使館での勤務に備えて、英語も相当勉強しなければなりませんでした。

ご多分にもれず、私も、英語については典型的な大学受験英語しかやってこなかったので、外国人との会話能力は非常にお寒い状況でした。しかも、英語の勉強法は、インプットありきというこれまでのやり方が頭から離れなかったのです。

先ほど3つの語学を同時並行にやって混乱した話をしましたが、あるとき、私は、アラビア語でやっている勉強法、すなわち徹底したアウトプット中心の勉強法を英語には適用していないことに気づきました。

また、英語は、アラビア語と違い、初級編から上級編に至るまで大部分のテキストに「正しい」日本語訳がついています。

だったら、この恵まれた環境を活かして、英語の勉強も最初から「日本語ファースト」で始めれば良いのではないかと思うようになりました。これが、この本の基本的な考え方になっています。

当時習っていたイギリス人の先生にも、週2〜3回、トンシー教授のスタイルで徹底的なアウトプット中心の授業と、私のスピーキングの間違いの修正をお願いしました。

パレスチナでの勤務へ

このように長く厳しいアラビア語、そして英語の研修期間を終え、私は1998年7月から、ガザにある対パレスチナ日本政府代表事務所（パレスチナは国ではないので大使館とは呼びません）で勤務することになり、その半年後の12月には、通訳としてのデビュー戦を迎えることになりました。それが、日本政府要人とアラファトPLO議長との会談です。

その後は、エジプトでの苦労が報われたのか、私は東京霞が関の本省に戻った後も様々なレベルの通訳を経験し、2002年12月には、今度は総理大臣の通訳としてのデビュー戦を迎えることになるのです。

アラファト議長の素顔

私が、外務省でアラビア語を命じられ学習を開始した1994年4月には、まさかその4年8ヵ月後に、アラファトPLO議長の通訳を行えるとは夢にも思っていませんでした。

1998年12月、ガザにあるアラファト議長府で、初の外交交渉の通訳に臨む著者。

しかし、エジプト研修中にパレスチナ問題への関心を強め、パレスチナでの勤務を希望した私にとって、まさにそのパレスチナ指導者との会談の通訳を担当できたことは、外交官になって良かった、そして、アラビア語の専門になって良かったと思えた瞬間でした。

1929年に生まれ、長年パレスチナ解放運動の指導者として活動してきたアラファト議長は、1993年に、イスラエルとの歴史的な和平合意（オスロ合意）に調印し、199

4年にはノーベル平和賞を受賞されました。

しかし、このオスロ合意では、パレスチナは自治は認められましたが、国家としての独立は認められませんでした。

私は、1998年7月から2001年6月までの3年間、パレスチナで勤務しましたが、この3年間はまさにアラファト議長にとって、パレスチナの国家独立をかけ人生の最後の力を振り絞られていた期間だったと思います（アラファト議長は2004年に逝去）。

特に、2000年7月には、当時のビル・クリントン米国大統領が、イスラエル・パレスチナ問題の解決のために丸2週間を費やしたキャンプ・デービッド・サミットが行われましたが、アラファト議長は最終的に、パレスチナ国家の「首都」をイスラム、アラブ、パレスチナの聖地であるエルサレムとしていないクリントン大統領の仲介提案を拒否しました。

もし、アラファト議長がこの提案を受け入れていれば、パレスチナ独立国家が誕生していたかもしれません。しかし、パレスチナの民衆は、クリントン大統領の提案を拒否しガザに帰還したアラファト議長を英雄として熱烈に歓迎しました。

パレスチナ人の魂をアメリカに売らなかったアラファト議長は、アメリカやイスラエルのメディアからは和平の機会を奪った犯罪者として徹底的に叩かれましたが、パレスチナ人にとっては最後まで英雄でした。

私は、3年間で実に計20回近くアラファト議長の通訳を行いましたが、会談では毎回、日本側要人にエルサレムを首都としたパレスチナ国家独立の夢を熱く語っていました。

そしてイスラエルとの和平交渉が進んでいるときは優しい笑顔を見せることもありましたが、交渉が厳しくなるとアラファト議長の眼光は鋭さを増しました。それはまさにパレスチナ独立戦士の顔でした。

パレスチナの議長府で、自分の執務室から会談場所に現れる瞬間のアラファト議長には、こうしたイスラエルとの交渉を一人で背負う、誰をも寄せ付けない孤高のオーラと、パレスチナ民衆が愛してやまない人を魅了するオーラが混在していました。

そのオーラを直接感じることができたのは、まさに通訳の醍醐味であり決して忘れることはないでしょう。

そんなアラファト議長も、長年パレスチナ人を支援してきた日本政府、日本人にはいつも笑顔で感謝の意を述べておられました。

その意味で、私にとってアラファト議長はいつもやさしいおじいさんでした。

あれから、20年が経とうとしています。アメリカのトランプ政権は2018年、イスラエルのテルアビブにあったアメリカ大使館をエルサレムに移転させ、イスラエルの「首都」がエルサレムであることを追認しました。

アラファト議長、パレスチナ人の悲願達成はいつになるのでしょうか。

第2章　外国語習得のエッセンス

前章で述べたように、私はアラビア語の高い壁を前に苦難の道のりを歩んできました。だからこそ、これから新しい外国語を始める皆さん、英語をもう一度やり直したい皆さんには、最短の道で外国語を学んでほしいのです。皆さんが勉強法で迷うことなく自信を持って学べるよう、以下の15のエッセンスをお伝えしたいと思います。

①外国語の習得には1パーセントの才能もいりません。器用でなくてもいいのです。正しい方法と謙虚さを持って努力するのみです

皆さん、外国語が流暢（りゅうちょう）に話せる日本人を見ると、帰国子女だからとか特別な才能を持っているからだとか、あるいは器用でセンスがあるからだとして、別世界の人間のように見がちですが、それは違います。

私は帰国子女ではないし、社会人になるまで留学したこともありませんでした。

また、私は不器用で、決して要領の良い男ではありませんし、暗記力が特別優れていたわけでもありません。

それでも、世界最難関のアラビア語で天皇陛下や総理大臣の通訳を務めるレベルに達することができました。

振り返れば、登り始める前は、どれぐらいの高さかも、またその道のりの長さもわかりませんでしたが、結果的には、正しい方法で、最短の道のりで、１００パーセントの努力をしたからだと思います。

努力は気持ちさえあれば誰にでもできるものです。

器用さとかセンスは気にする必要はありません。しかし正しいやり方、最短の道のりがわからず苦労する日本人は多いと思います。

この本で、皆さんには、私が紆余曲折の末に摑んだ最短の勉強法をお伝えしたいと思います。

②日本人は外国語学習に向いています

日本人の性格のせいか日本語の特殊性ゆえか、日本人は外国語の習得に苦労する、外国語コンプレックスがあると言う方がいますが、本当にそうなのでしょうか。

私にはそれは何の根拠もないように感じられます。

私が、アラビア語を短期間でマスターできたのは、これから述べる正しい方法や最短の道のりを選べたのもさることながら、自分が器用でないこともあって、ひたすら先生の指導どおり謙虚に素直に愚直に学習に取り組んだからだと思います。

謙虚で素直という日本人の特性は、外国語を学ぶうえで大きなアドバンテージなのではないかと思うのです。

私は、アラビア語の研修のためエジプトに留学中、そこでアラビア語を学習していた多数のアメリカ人、フランス人が英語、フランス語の発音やアメリカ、フランスでの学習スタイルにこだわるあまり伸び悩み、素直な私の方がどんどん追い抜いていった、という体験をしました。

私は、元来こだわりのない性格で、ましてや初めてのアラビア語ということもあり、本当に素直に先生に言われたとおり黙々と勉強していきました。

昔、〝NOと言えない日本人〟というフレーズは悪い意味で使われましたが、外国語の学習について言えば、NOと言わないことが日本人の最大の長所であり習得の最善の道であると思います。

③外国語を学ぶことは未知の世界との遭遇です。楽しみながらマスターして外国人の心の「扉」を開きましょう

外交やビジネスの世界であればときに厳しい勝負を伴いますが、その世界から一歩離れれば、外国語を学ぶことは楽しいことでもあります。

自分の外国語が外国人に通じ、外国人が喜ぶ場面を思い浮かべましょう。

残念ながら、英語で挨拶ができるからといって、アメリカ人やイギリス人に、あなたは英語が話せるの？　と喜ばれることはあまりないかもしれません。

むしろ、英語わかりますかというトーンでばかにされた経験がある方も多いと思います。それでもあなたが英語を話せることでアメリカ人やイギリス人との心の距離はぐっと縮まるでしょう。

これが他の言語ならもっと外国人に喜ばれると思います。

アラビア語を始めることになった私の場合は、周りの外務省の同期、特に英語、フランス語を担当することになった同期たちが、難しい文章を読んで話している中、小学1年生に戻ったかのように、大きなノートに「みみず」の這ったようなアラビア文字で「あいうえお」を書く練習から始めました。

また、日本人の小学1年生はさすがに「あいうえお」の発音練習をする必要はありませんが、私の場合はアラビア語なので、「あいうえお」の発音から始め（ちなみに、実際はアラビア語に「え」「お」にあたる母音はありません。なのでアラブ人には、「こういち」ではなく「くういち」と呼ばれていました）、28の文字一つ一つの発音を、大きな声で、喉の奥から、アラブ人の先生の前でマスターするまで繰り返すことになりました。

大学を出て社会人になってから、小学1年生よりさらに下に戻って外国語を学ぶのです。想像できますか。

でもこれを苦労、屈辱と思うか、未知の世界との遭遇で何と幸せなことだろうと思うかは自分次第です。

私の経験は、社会人になってから英語をもう一度やろうとするビジネスパーソン、新しい外国語をやろうとする方にも自信になるのではないでしょうか。

何事も大変だと思えば大変ですが、ポジティブシンキングで行きましょう。未知の世界を大いに楽しみましょう。それも外国語習得の醍醐味です。

私も苦労して難しいと言われるアラビア語を学び、まったく価値観が異なると思われたアラブ人と話が弾んだときは、心の「扉」を開けることができたと感動し本当に嬉しかったです。

皆さんにも外国人の心の「扉」を開ける快感を是非味わってほしいと思います。

④自分が外国人と話しているかっこいい姿をイメージしましょう。語学の勉強に踏み出せないとき、勉強に行き詰まったときの突破口になります

外国語の勉強は大事だと思ってはいるけれど、仕事が忙しくてなかなか手をつけられないというビジネスパーソンも多いと思います。

私がエジプトで経験したように、人間誰しも追い込まれると火事場の馬鹿力を発揮するものですが、それでは追い込まれていないときはどうすれば良いのでしょうか。

そんなときは、すきま時間を利用して、自分が外国人と流暢に話しているかっこいい姿を思い浮かべることをおすすめします。

別に本当に外国語で話している必要はなく、自分の言いたいことが相手に伝わっているシーンを思い浮かべるのです。そして、そのシーンで、そもそもあなたは外国人と何を話しているのでしょうか。

その情景が目にありありと浮かんで、やる気エンジンに火がついた暁には、どうか

この後の「中川教室」の門を叩いてください。あなたが話したいと思っていることを外国語にどんどん置き換えていきましょう。

さて、やる気エンジンにすでに火がついている皆さん、しかし、ビジネスで外国語を使いこなせるようになるのは、本当に大変なことで長い道のりになります。そのプロセスでは何度も挫(くじ)けそうになるでしょう。

そんなときは、あなたが社運をかけた商談でプレゼンをしている、あるいは社長や取締役の通訳をしているかっこいい場面をイメージしましょう。

私は、よく外務省の後輩、特に海外へ語学研修に向かう前の後輩には、数年後に総理大臣、外務大臣の隣で通訳をしている、輝いた自分をイメージしなさい、そしてそこに達するために、いかに今の自分に足りないことが多いかを自覚しなさいと言います。

そう考えると、立ち止まっている暇はないと思い、またすぐに勉強を再開することができるでしょう。

⑤外国語の習得に「なぜ？」は不要です。寛容の精神で丸ごと受け入れましょう

先述のとおり、私がエジプトに留学中、一緒に勉強したアメリカ人、フランス人たちは、自分の母国語へのプライドから、なかなかアラビア語を素直に受け入れられないようでした。

私ももちろん日本語にプライドはありますが、そもそも外国語を学習するということは、外国の文化、歴史、価値観を学ぶことと一緒と考え、寛容の精神をもって、全身全霊で吸収することに努めました。

この点、よく気がつく人や繊細な人は、外国語と自国語との違いに疑問をもたれ、その理由を解明しようとされるのかもしれませんが、私はそういうところには脇目も振らず勉強しました。

皆さんもなぜ外国語ではこういう文法、発音になるのかと思う暇があったら、寛容の精神で素直に受け入れ、その時間に一つでも多くの単語、構文を素直に、がむしゃらに覚えてください。

それが実は外国語学習の王道だと私は思います。

小さな子供は特に疑問ももたずに自然に言葉を覚えていきますが、大人になるとど

うしても余計なことを考えてしまいます。もう一度、子供に戻った気持ちで謙虚に学習していきましょう。

⑥外国語学習の目的、目標、期間を明確にしましょう

幼少期を外国で過ごし、その国の言語が生活の中で自然と身についたという人はともかく、グローバル化が進んだ現在でも、外国語を始めるのは、英語を除けば、大学生から、あるいは社会人になってから急に海外赴任が決まり始めることになった（ざるをえない）という人が多いと思います。定年後、第二の人生を外国で暮らそうという人もいるかもしれませんね。

いずれにせよ、日本語が母語となることが決まってからは、やみくもに「外国語」学習をスタートするのはまさに大海へ地図もコンパスも持たずに漕ぎ出すようなものです。

したがって、行き先を決めて漕ぎ出すことができるか否かが、あなたが外国語を習得できるかの「リトマス紙」になります。

目的、目標を細かく分析し、その達成までの期間も設定しましょう。

海外旅行での外国人とのコミュニケーション、海外勤務における日常会話、ビジネスでのプレゼン、交渉、通訳など目的、期間によって、勉強法が大きく変わります。たとえば、皆さん、どの語学でもはじめは単語と並び文法の学習が重要だと思うでしょう。そもそも文法の学習をする必要があるのかという疑問を抱く人はほとんどいないのではないでしょうか。

しかし、外国語習得の目的によっては文法の学習は必要ない、あるいは最低限で良いと思います。

先述のとおり、アラビア語は、新聞やテレビのニュースで使われる書き言葉と、アラブ人が日常会話で使用する話し言葉で大きく異なります。

そして、その日常会話の言葉もアラブのそれぞれの国で違うので、同じアラブ人でもイラク人とモロッコ人の間では、日常会話が成り立たないということになるのです。

なので、アラビア語を始めたいという人がいれば、その目的を細かくあぶり出す必要があります。

あなたはニュースや新聞がわかるようになりたいのか、アラブに旅行してアラブ人と日常会話を交わしたいのか、そしてその場合はアラブも広いので、エジプトなのか（エジプトの話し言葉が、書き言葉から最も乖離していて最難関といわれる）それ以外なのかを問うことにしています。

なぜなら、アラビア語は基礎的な日常会話ならアラビア文字や難しい文法の習得は必要なく、すべてカタカナで学習でき、いくつかの定型文を覚えれば最低限のことは話せてしまうからです。

ここで、私が改めて言いたいのは、何のために外国語を始めるのかというあぶり出し作業の重要性です。

海外旅行を楽しみたいなら、限られた文法、構文で十分対応できるでしょう。

しかし、本格的なビジネスシーンで使うことを目的とするなら、迷わずがっつり文法の学習に入っていきましょう。

地味な文法の学習から逃げても「ビジネス本番」で通用するというのは甘い考えだと思います。カタコト外国語で商談が上手くいくのなら、その商談の中身はたいしたことはないでしょう。

また、職業によって取り組むべき分野も当然大きく変わります。

たとえば、一定の基礎力を前提とすれば、自動車メーカーのビジネスパーソンが最初に身につけるべきは、自動車の分野の技術的、専門的な用語であり、その次に日本経済や世界経済の動向に関わる言葉でしょう。

外交官であればまずは国際情勢や国際経済であり、外国の文学や歴史の研究ではないはずです。

何を当たり前なことをとおっしゃるかもしれませんが、私はゴールを定めずに外国語を始める方、あるいは勉強しているうちに、いつの間にかビジネスとは直接関係のない分野に入れ込んでしまう方を数多く見てきました。

もちろんビジネスと直接関係のない分野も教養として役に立つことは間違いないのですが、それはまずは自分の目指すゴールにたどり着いてからの話です。

外国語習得の目的、期間が決まれば、ゴールへの最短ルートは一つしかないにもかかわらず、その最短ルートを一人ではなかなか思い描くことができない、あるいは、ついついこれまでやってきた英語の勉強法にこだわり、知らず知らずのうちに迂回してしまうことが非常に多いように思います。

本当は私が皆さん一人一人の学習プランを直接立てられたらいいのですが、まずはこの本で、今までのやり方を見直していただければ幸いです。

他人からのアドバイスに耳を傾けず、自らの根拠のない勉強法を貫き通す人は絶対伸びないと思います。

これは、レベルが高くなればなるほど越えられない壁として現れてきます。

⑦外国語学習は、スタートダッシュが「肝」です。まずは、安定飛行に乗せましょう

さて、英語以外の新しい外国語に取り組むことを決めたあなた、あるいは英語を一からやり直そうと決めたあなた、その意欲が消えないうちにスタートダッシュすることをおすすめします。

これは飛行機と同じで、安定飛行に乗せる前に、まずは外国語という世界の上空にあなたの脳を移動させる必要があるからです。

私はエジプトに留学後、先述のトンシー教授に最初の3ヵ月間はとにかく全力投球せよ、語学ではスタートダッシュが大事と言われ、がむしゃらにやりました。

スタートダッシュのやり方は、与えられた環境にもよると思いますが、3ヵ月といった期間を設定する、参考書1冊といった単位にするなど、いずれにせよ可能な限り早くやりきりましょう。

⑧外国語学習は、毎日しなくて良いのです。オンとオフを上手く使い分けましょう

先ほどスタートダッシュの重要性について述べましたが、それに成功して安定飛行に入った後は、自分のペースを作ることがコツです。

よく毎日少しでもいいから、外国語の勉強をしなさいと書いてある本を目にしますが、それは忙しいビジネスパーソンにとってはかなり高いハードルであり、挫折の原因になるのではないでしょうか。

私はそのような強迫観念は無用だと思います。

毎日は無理だから外国語の勉強を始めるのは難しいと、躊躇(ちゅうちょ)する必要はありません。

外国語の勉強は、それを楽しむためにやる方は別として、ビジネスパーソンにとっては、いずれにせよ、長い長いマラソンになります。

一朝一夕ではできないのです。毎日やらなければならないというプレッシャーを自分にかけて自滅する必要はありません。

私は、エジプトで3年間語学研修を行いましたが、スタートダッシュをした後は、オフの日もしっかり作って長丁場を乗り越えました。

⑨外国語学習は、一にも二にも「集中力」がポイントです。緊張感のない中での「ながら」学習は時間の無駄です

先ほど述べた、オン、オフとも関係しますが、私は外国語の学習には「集中力」が本当に大切だと思います。

ビジネスパーソンが自分の語学で商談をまとめるときであれ、プレゼンを行う、あるいは社長の通訳を行うときであれ、その時間に一瞬でも集中力が途切れれば、大事なキーワードを逃し、その商談やプレゼン、通訳は失敗に終わるでしょう。

そういうシーンを思うと、いわゆる「ながら」勉強は怖くてできないのではないでしょうか。あるいは今日は何時間やったから合格と自己評価するのは意味のないことだとわかるでしょう。

人により、与えられた語学学習環境は異なりますが、その日「集中できたか」どうかがポイントです。絶えず自問自答してみてください。

私は、外務省の後輩には、大事な外交交渉の通訳の場面で「集中力」を途切らせたらどうなるか考えなさい、と言って叱咤激励しています。

⑩単語を覚えられないからといって、意味を推測してはいけません

よく外国語の単語をなかなか覚えられないからといって、効率的に覚えるために、規則性を見つけて推測しようとする方がいますが、実際には、それでは本当に正確な訳にはたどり着けず、誤ったまま身についてしまう危険があります。

得てしてそういう単語ほど、重要な商談のキーワードだったりするのです。

先述のとおり、アラビア語は、基本的に3つの語根で成り立っています。3つの語根がわかれば、その意味はわかると言われているのですが、私も実際にやってみたものの、やはり外交の場面で使うには正確性に欠けることがわかり、後でその記憶の修正に大変苦労しました。

一度脳に焼き付いた意味はなかなか直せないのです。

結局のところ、単語を覚える際には小細工せず、せっせと暗記していくことが最短、最良の道だと思います。

その意味でも、次の章で紹介する、最初から日本語、外国語を並べておくやり方は、推測する余地を与えないので効果的です。

ただし、どの分野の単語を覚えるのか、その選択には細心の注意を払ってください。

自分のゴールに必要な単語なのかどうか、絶えず自問自答してください。

そんなことといっても、私は単語を覚えるのが苦手なんですという方も多いと思います。もちろん、単語を覚えるのは誰しも簡単ではなく、繰り返し暗記する必要があります。

しかし、私は、その単語が単に教科書に出てきたから仕方なく覚えるのか、あなたの話したいことに必要な単語なのかどうかで、かなりの差が出ると考えています。

明日がプレゼンで、その単語があなたのプレゼンのキーワードであれば、いやがおうでも覚えるでしょう。

ですので、あまり単語が覚えられないと嘆くのはやめましょう。その日が来れば自然と覚えられるぐらいの気持ちでちょうど良いと思いますよ。

⑪発音は、文字どおり音を発することが何より重要です。きれいな発音は後から付いてきます

日本人の外国語学習の悩みとして、発音が良くないということが挙げられると思います。

私は、語学において、発音が重要でないとまで言うつもりはありませんが、当たり前ですが文字通り音を発しないかぎり「発音」とは言わないので、まずは四の五の言わずに音を出すことが大切だと思います。

先ほどアラビア語は発音も難しいと言いましたが、「ア」、「カ」、「サ」、「タ」、「ハ」、「ラ」などには、それぞれ2通りの発音があります。どれも初心者には同じ音に聞こえますが、それを聞き分けられないと違う意味となってしまうものも多くあります。

逆に言えば、その音を使い分けて話さないと相手に通じないということになるのです。

たとえば、「殺す」という単語は「カタラ」なのですが、それぞれ2通りの発音があるため、正しい発音は2×2×2の8通りのうち1通りしかありません。

しかし、先述のように、私はエジプトではとにかく話さなければならない環境におかれたため、正しい1通りの発音を選ぶ余裕も能力もなく、よく他の7通りの間違った発音をしていました。

もちろん、最初は相手に通じず恥をかきましたが、何度も発声しているうちに、不思議なもので自分の頭の中で整理ができて、最後には正しい発音で淀みなく言うことができるようになりました。

英語で言えば、アップルの「ア」は発音記号でæですが、最初は日本語のカタカナの発音で「ア」と堂々と言ってもいいと思います。

とにかく音を発しましょう。

え、外国人に通じなかったらどうするって?

そういう経験をしたら、その単語の正しい発音は絶対忘れないでしょう。

⑫リスニングで「聞き流し」勉強は絶対ダメです

よく英語の学習教材で、「一日何分『聞き流す』だけで、みるみる上達」などのフレーズを目にしますが、英語を楽しむために学習する方はともかく、ビジネスパーソンは絶対にやってはいけません。

先ほど絶えずゴールを念頭にと言いましたが、ビジネスで外国語を使って交渉することを考えてみてください。

社運をかけた交渉では、相手の言うことを一言一句聞き漏らさず的確に対応していかなければ、商談があなたの会社に有利なように進むわけがありません。

外交の世界でももちろん同じで、ましてや通訳の世界に行けば、一言の聞き漏らしも許されないのです。

にもかかわらず、普段から聞き流す癖をつけてしまうと、本番で最も重要な「集中力」が養われず、得てして悪い癖が出てしまい致命傷になるものです。

それでは逆に、聞き流さないようにするにはどうすれば良いのでしょうか。答えは簡単です。知らない単語が出てくるから聞き流すしかないのです。

だったら、最初からすでに理解している文章だけを聞けば良いのです。リスニングはやみくもに聞けば良いというものではありません。

リスニングは外国語の音としての感覚をつかむために、知らない単語があっても良いので、とにかくたくさん聞くことが大事と書かれた本をよく見ます。

また、知らない単語を推測しながら感覚として覚えることが重要という方もいます。英語の文章の後に、日本語訳が流れる教材もあります。

しかし、先ほど述べたとおり、外国語をBGM代わりに楽しむというだけならともかく、ビジネスパーソンにとっては、意味の推測ほど危険なことはありません。知らない英語の後に日本語訳が流れても正確に対比するのは困難です。

繰り返しますが、リスニングのコツは、聞き流さず、習った文章だけをひたすら何度も聞き「復習」することです。

わかりやすく言えば、「私はりんごが好きです」という文章を読めて理解できるようになったら、それを耳で確認するのです。

決して「私はみかんが好きです」という文章をリスニングしてはいけません。

自分が読めない、わからないことを聞いて理解することは決してできないのです。

私は、とにかくゼロからのスタートだったので、参考書の文法、単語を1章ずつ覚え、そしてその範囲のリスニングを繰り返しました。

逆に言えば、私は、インプットを先行させる余裕がなかったので、地に足のついたリスニングができたのだと思います。

私のリスニングのノウハウについては、第4章でも詳しく説明します。

⑬効率性を言い訳にグループ学習から逃げてはいけません。とにかく人前で話しましょう。恥をかかずに上達はありません

人前で話すのが恥ずかしいので、効率の悪さにかこつけて、グループ学習をやりたがらない人がいますが、ビジネスシーンはいつも人前であることを忘れないでください。

また、グループ学習では自分の番がなかなか回ってこず、非効率だと考える方もいます。

しかし、これは大きな間違いです。グループ学習の良いところは、何よりも他の生徒がどのような発言をするのか、それをいわゆる文法の正確さ、表現などを含めた語学面と、その内容面で自分との比較を可能にするところです。自分より良いところは素直に受け入れることが重要です。

もし、あなたが現在行っている語学学校が、自分よりレベルの低い人ばかりのグループレッスンで困っているということであれば、それを逆に絶好のチャンスだと思っ

てください。

自分の語学がいかに上手いかを見せつけることは、私の経験上、ビジネスのプレゼン本番で必ず役に立ちます。

プレゼン本番ではどんなに聴衆が手強い相手だとわかっていても、何より自分のほうが語学ができる、優位に立っていると自信を持って臨むことが成功の秘訣だからです。


また、逆に、グループレッスンで自分が一番下手でみっともないと思っている方もチャンスではありませんか。

上手い人の外国語は自分とは何が違うのか、発音か、語彙力か、表現力か、とにかく上手い人から全部盗むのは語学学習の鉄則です。

私の場合は、先に述べたとおり、エジプトでのグループ授業で人前でのプレゼンを毎日ひたすらさせられる中で、アラビア文字の発音が悪くて通じないことも、そもそも私が話している内容が理解されずに他の生徒にぽかんとされることも、先生からダメ出しされることもたくさんありました。

そのうち、もう恥ずかしいとも思わない度胸もつきました。

でも私は、こういう苦い経験があったからこそ、その後の外交交渉の場面や、さらに首脳会談の大舞台でも、心乱されることなくパフォーマンスを発揮できたと思っています。

⑭マンツーマン授業はあなたが主役。たくさん話して間違いを直しましょう

一方で、マンツーマン授業ならではの良さもあります。マンツーマン授業はハードルが高いと思われるかもしれませんが、オンラインで英会話の授業が受けられる時代ですので、そういう機会がある方は是非私の経験を参考にしていただきたいと思います。

私は、エジプトでの語学研修中、先述のカイロ・アメリカン大学のトンシー教授からマンツーマン授業を受けました。

同教授は、大変厳しい方でしたが、授業の進め方は理路整然としていました。

彼の前でのプレゼンはいつも緊張感に溢れていました。

私のプレゼンで間違いがあるたびに、彼のパソコンがかしゃかしゃと音を立てる、ああ、間違ったんだなと思うのです。

たとえば、2分間のプレゼンが終わると、その直後にペーパーが打ち出され、私の前に間違えた箇所があぶり出されます。見事なほど大量の間違いです。

しかし、そこからトンシー教授は、なぜその間違いが起きたのかを丁寧に分析したり、より良い表現、単語をきめ細かく提示してくれました。

そして、それらの間違いを次の授業では直し、的確な表現が言えるよう練習していったのです。

このように、マンツーマン授業の最大のメリットは、とにかく自分の間違いを一つたりとも逃さず指摘し、あるいはより良い表現を提示してもらえることです。逆に、これができない先生との授業は意味がないと思います。

皆さん、英会話をやらなければと考え、とりあえずネイティブの先生と話すために英会話学校の門を叩かれる方も多いと思いますが、ネイティブと会話をすればスピーキング能力が上達するわけではありません。

むしろネイティブでなくても、しっかり指摘する教授力のある方につくべきだと思います。先生選びにも気をつけましょう。

私が見てきた中で一番やってはまずいと思うのが、授業で先生に与えられたテキストを一緒に読んでちょっと会話して終わりというパターンです。

これは先生にとっては最も楽な授業ですが、受ける側のあなたにも問題があります。授業の主役はあなたであるべきです。

毎回、あなたが何を話すかを考え、そのためのテキストもあなたが探し、たくさん話した後は、先生にどこが間違っていたか、より良い表現はないかと積極的に聞きましょう。

もし、そこまで言っても今ついている先生との授業中に、先生からあなたのスピーキングに何も指摘がない、あるいは上達のためのアドバイスがないのであれば、すでにその先生との授業は使命を終えたと言っていいと思います。

他方で、どんなに優秀な先生でも、付き合いが長くなると知らず知らずのうちに生徒の癖に慣れてしまい、ミスを見逃しがちになります。

なので、私もトンシー教授からよく、「対外試合」をしなさいと言われました。

実際、別の場所で、新しく知り合ったアラブ人と話すと、「あなたのアラビア語はわからない」と指摘を受けることがありました。

そのたびに、自分の至らなさを痛感し、謙虚に努力、改善していくことで、語学力がさらに伸びたと思います。

⑮外国人とのコミュニケーションに「テスト脳」は不要です

語学検定試験や入試で良い点数を取るためだけに頑張る人がいますが、危険な兆候です。

語学はあくまでも人前で話せてなんぼなのに、点数だけで満足してしまう、それが語学の目的、成果で終わってしまい、結局使えない語学になってしまうからです。

あなたは、ビジネスシーンの本番や外国人の前で、私の名前は○○です、私のスコアは○○点です、とでも自己紹介するのでしょうか。

私は、日本人の外国語学習は、検定試験を意識して、リスニング、リーディング、ライティング、スピーキングの4分野の「バランス」を考えすぎていると思います。

「バランス」というと聞こえがいいですが、実際はそれを隠れ蓑にして「プライオリティ」をつけ、結果として一番やりたくない「スピーキング」を後回しにしてしまっているのです。

「4分野のバランスをとらなければならない」という固定観念はいったん捨て、とにかく「スピーキング」から始めるという発想に切り替えましょう。それぐらいの気持ちでないと、実際にはこれまでと何も変わらないと思います。

この文脈で言えば、学校の授業でよくやる単語、熟語のペーパーテストの類もやめた方が良いと思います。

なぜなら、単語、熟語というのは、あくまでもそれを話す際に使えるかどうかが重要であり、口から音として発声してはじめて意味があるのです。だから「テスト」は、それをスピーキングで使えたかで判断すれば良いのです。ペーパーテストで何点だったかは、あなたのスピーキング能力とは関係ありません。

ちなみに、アラビア語に検定試験のようなものはなく、一年に1回、外務省が実施するスピーキング重視の試験がすべてでした。こうした状況は、今振り返ると、語学の底力をつけさせてくれたと思います。

一年に1回のスピーキング重視の試験を目指し、私は、他の能力についてテストで何点だったかといった邪念に邪魔されることなく、ただただ地道に、文法、単語、熟語、表現をスピーキングにつながる形で練習していきました。

第3章　「ネイティブ脳」より「日本語脳」

それでは、これから具体的な勉強法をお伝えします。第1章で述べたアラビア語攻略の苦難の道のり、そこから得た勉強法は、英語も含めた全語学に通じます。

新しい外国語を始めたい方、英語をもう一度やり直したい、しかしこれまで何度も失敗してきたビジネスパーソンの方、どうか私を信じて以下のやり方で学習を愚直に進めてください。

まずは、外国語学習にあたっての私の基本的な考え方から説明します。

「日本語ファースト」。まず、日本語で話す内容を考え、それから外国語に「置き換え」ましょう

そもそも、あなたは、何のために外国語を学ぶのでしょうか。

それは外国人と話すためですよね。では質問です。あなたは外国人と何を話すのですか。それを最初に考えていますか。

私たちはどうしても外国語に「受け身」でした。

それは外国語は教えられるものだ、という固定観念があるからです。

そもそも、日本語が世界の共通言語なら、当たり前のように日本語で考え、日本語で外国人と話せていたはずです。

しかし、現実はそうではないからといって、日本人は外国語を難しく考えすぎなのではないでしょうか。

それは、どうしても外国語を異次元のものとして「学習する対象」にしてしまうからです。

もう少し簡単に考え、言いたい日本語を自分の脳で外国語に「置き換え」てあげるだけと考えればどうでしょうか。

日本人なのだから、もっと「日本語脳」を大切にしてみてはいかがでしょうか。

先ほど述べたとおり、私はこのことをエジプトのアラビア語研修における逆境から気づくことができました。

もし、まったく習っていない言語で、明日プレゼンしなさいと言われたらどうするか。何もわからない外国語のテキストをただただ見ることで話せるようになるでしょうか。

日本人である以上、日本語で話す内容を考えることから始め、それをなんとか辞書や参考書などで調べて外国語に「置き換え」て話すのではないでしょうか。

今までの皆さんの外国語の学習は最初から与えられたテキスト、参考書ありきでした。

与えられた外国語のテキストの単語、文法を無造作に頭に入れて、外国語の文章を読んで、「はいおしまい」でした。そこにはあなたの意思は何もありませんでした。

これからは、日本語を基軸にまず話したい（アウトプットしたい）ことを決めて、それを外国語に置き換えるために外国語をインプットするのだという発想に転換してください。

今日からテキストは、あなたが話したい内容を外国語に置き換えるための材料箱と考え、選んでください。発想を180度転換していきましょう。

「ネイティブ脳」神話は捨てましょう

このような私の考え方に対し、「日本語脳」ではなく「ネイティブ脳」、すなわち外国語を話すには外国語で考える、外国語は外国語で理解しなければならない、という考え方もあります。

この「ネイティブ脳」作りは、長く日本の外国語教育の目標になってきました。その背景には、外国語をいちいち日本語に訳すから時間がかかって外国語が話せない、だから外国語は外国語で考えるしかないという「神話」めいたものがあります。外国人の有識者が、外国語は外国語で考えるべきと主張していることも一因かもしれません。

たしかに、この考え方は、その人の母語が決まると言われている12歳ごろまでならトライする価値があるかもしれません。

しかし、母語が日本語に決まった後の日本人が、なぜ、わざわざ母語を変えようとするようなやり方を選ぶ必要があるのでしょうか。

それは、日本人が外国語というものを難しく考え過ぎているからだと思います。

私は、皆さんが「ネイティブ脳」作りに苦労して、結局外国語ができないという状況を放っておくことはできません。

私は24歳からアラビア語を始め、4年8ヵ月で外交交渉の通訳まで務めることができました。

アラビア語の「ネイティブ脳」があろうはずもありません。

その代わり、日本語からアラビア語への「置き換え」、「日本語脳」の強化の訓練を「徹底的」にやりました。

具体的な勉強法は第5章で説明しますが、これこそが、日本人が外国語を習得する「最短の道」だと私は思います。

これは、英語をやり直したい方にとっても同様です。

ですので、皆さん、「ネイティブ脳」を作るという無謀な努力をする時間があったら、その分、「日本語脳」を鍛えることに集中してください。

「ネイティブ脳」は「わかったつもり」がこわい

また、大事な点として、「ネイティブ脳」がないのにネイティブのように日本語を介さずに勉強すると、いちばん怖いのが、「わかったつもり」になってしまうことです。

そうすると肝心の本番のビジネスシーンで空回りしてしまい、頭で考えていることが正しい外国語で出てこないという事態になりかねません。

私の場合は、そもそもアラビア語・日本語の辞書がない中での学習だったので、仕方なくアラビア語をアラビア語で、あるいは英語を介して理解する段階を経ざるを得ませんでしたが、第1章で述べたように学習の最終段階になると、いかに自分がアラビア語を日本語に訳せないか、正しく理解していないかを痛感させられました。「わかったつもり」になっているだけで、実際には何の身にもなっていなかったのです。

外国語の「題材」はあなたの意思で探しましょう

さて、実際の学習に際して、あなたにまずトライしていただきたいのは、自分が話すトピック、内容を考え、それに見合う題材を探すことです。

その題材は、「日本語脳」をフル回転させるため、必ず日本語と外国語双方が揃った文章を使ってください。

あなたが私のアラビア語のように、本当に初心者からのスタートでなければ、特に英語であれば、あなたに見合った題材が探せるはずです。

今の時代、ネットでも書店でも、英語はもちろん、主要言語であれば上級編に至るまで、日本語の訳がついた題材が見つかるはずです。

参考までに、英語であれば、次の教材はインターネットで無料でアクセスできるので積極的に活用していきましょう。

①ＮＨＫ「世界へ発信！　ＳＮＳ英語術」

https://www.nhk.or.jp/snsenglish/ にアクセスすると、「特集」のコーナーに、外国人とのコミュニケーションに役立つ様々なジャンルの文章が入っていて、日本語訳も付いています。あなたの関心に合わせて題材を選びましょう。

ビジネスパーソンであれば、ラジオ番組「世界へ発信！　ニュースで英語術」のサイトがおすすめです。

②「ＴＥＤ日本語」

ＴＥＤ（Technology Entertainment Design）は、アメリカのカリフォルニア州などで幅広いジャンルの講演会を主催しているグループです。

http://digitalcast.jp/ted/ にアクセスすると、「ニュースと政治」のコーナーに、「ビジネス」「グローバル問題」などの項目があり、日本語訳も付いていますのであなたの仕事に関連のある分野を選んでみてください。

そのほかにも、有料となりますが、ジャパンタイムズが出版している「Ｔｈｅ　Ｊ

apan Times NEWS DIGEST』、『CNN English Express』編集部編の「CNNニュース・リスニング」「高校生からのニュース・リスニング」「初級者からのニュース・リスニング」には様々なトピックがあり、日本語訳もあるのでおすすめです。

これらも参考にして、あなたが外国人と話したいトピック、仕事に必要なトピックを選んでください。

え、これまでそんな勉強の仕方はしていなかったのに、ある日、いきなり題材を選ぶのは無理ですって？

たしかに、そうかもしれませんね。でも是非トライしてほしいと思います。

いや、それでもいきなりは無理という方は、これまでどおり、最初はあなたの使っている与えられた参考書を活用するのも良いでしょう。

ただし、その際も、与えられた順番通りに勉強する必要はありません。是非そこにあなたの意思を働かせてみてください。

日本語訳を先に見て予習しましょう。「日本語脳」を回転させてから外国語を受容しましょう

このようにして題材を選んだら、次の点に注意して学習してください。

①題材の日本語訳の文章を先に見て、今日学習することの内容を確認し、自分を紹介するときや意見を話す際にどう役立つか、いかに役立てられるかをイメージしてください。この作業により、今日からあなたの外国語学習は「受け身」から「発信」へ変わります。

また、日本語で予習して、「日本語脳」を回転させてから外国語を受け入れましょう。

外国語をいきなり見ると、これまでどおり外国語の壁を感じてしまうので決して先に見ないでください。

第5章に、「イチローの引退」に関する例題を日本語、英語で用意しましたので、そちらで練習してみてください。

②日本語訳で十分、その題材の内容を理解できたと思ったらはじめて、あなたが学習する外国語の文章をこの日本語の横に並べてみます。

このとき、日本語は左、外国語を右に置くのがポイントです。日本人は左に置くものをベースとするので、日本語をあくまでも勉強の出発点とするという意味です。繰り返しますが、これまでの皆さんの外国語学習は、最初から外国語を勉強しようとしていました。すなわちインプットから入っていたのです。

私のベストと考える勉強方法は逆です。アウトプットの内容を日本語で考え、それに見合う外国語のインプットを行うのです。

ただし、上級者になれば、話したい題材がすべて日本語になっているとは限りません。その場合は、あなたの仕事に直結する分野の題材をあなたのゴールに照らして選択することが大事です。

やみくもに選んでは絶対にいけません。冷徹にあなたのゴールを見据えましょう。外国語の習得には「選ばない勇気」も必要です。

このような「日本語」を基軸にした具体的な学習の進め方については、次章以降で解説していきたいと思います。

第4章　「インプット」より「アウトプット」

「受け身」のインプットだけでは外国語学習はつまらない

これまでの日本人の外国語学習は、最初のインプットが多すぎて、インプットすること自体が学習の目的になっていました。

すなわち、第3章で述べた「外国人と何を話すのか」というアウトプットの作業を前提としないインプットを最初にしてしまうのです。

そうなると、外国語という未知なものを「受け身」の形で学習せざるをえなくなります。

何事も「受け身」でいると面白くなく疲れるものです。

ですので、インプットだけで疲れ、満足してしまい、最も大事なはずのスピーキング能力向上につながらず、使えない外国語で終わってしまうのです。

「リーディング」から始めない。それは「悪魔のささやき」

その典型的な失敗が、外国語の学習をアウトプットを伴わないリーディング（インプット）から始めることです。

これまでの習慣で「リーディング」から始めると、その対極にあるアウトプットを意識することが難しくなるうえに、リーディングは自己完結しやすく、黙々と努力すれば成果が最も出やすいので、ついつい自分の語学力が伸びたような錯覚をしがちです。

これは「悪魔のささやき」とでも言うべきものです。

文章を読むこと自体が本番のビジネスシーンで問われることは、まずありません。リーディングは、語学の学習というより各トピックの理解を深める一助の位置づけにすべきであり、それが真に必要となるのは、その外国語を通じてしか知識、情報を得られないことも多い上級者だけです。

要は、リーディングは「最後の仕上げ」なのです。

それまでは、とにかくインプット過多にならないよう留意することが、実は語学攻略の最短の道だと思います。

「音」から「入る」リスニング学習は間違い。「スピーキングファースト」で行こう

皆さん、リスニング能力を伸ばすには、とにかく外国語の「音」を聞いて慣れるし

かない、だから「音」から「入る」学習が当たり前だと思っていませんか。

それでは質問です。

そもそもリスニングってどのような場面で必要ですか。

それはビジネスシーンであれ日常的な場面であれ、外国人とコミュニケーションを取る、つまりあなたが何かを話して、そして外国人の話を聞く場面ですよね。

そういう意味で、リスニングは本来スピーキングとセットで考えなければならないはずです。

しかし、スピーキング（アウトプット）は大変だからといって、より簡単なリスニング（インプット）の学習を「独立」して行ってしまっている方が多いのではないでしょうか。

そして、最初からインプットとして「音」を聞いてしまうと、これまでの習慣で外国語は未知なものでこわい、という印象ばかりが増大するのです。

それではリスニング能力だけが試される場面って何でしょうか。思いつくのはやはりまた、検定試験や入試ですよね。

皆さんはその試験のために、また頑張って勉強（インプット）してしまうのです。そろそろこの悪循環を断ち切らなければなりません。

実際のビジネスシーンや外国人とのコミュニケーションの場を想像してみてください。あなたが外国人から聞く量、レベルは、あなたの発信する量、レベルに基本的に比例していると思います。

逆の立場になって考えてみるとよくわかります。

外国人と日本語で話すときに、日本人のあなたはその外国人がどれくらいの長さの日本語を話すか、どのくらいのレベルの日本語で話すかに応じて、あなたも長さやレベルを合わせたりするでしょう。そもそも日本語を話せない外国人に、あなたは日本語でべらべら話しかけたりするでしょうか。

それと同じで、あなたが外国語でスピーキングができなければ、外国語をリスニングする能力が必要な場面もほとんどないはずです。

どんなにリスニングテストで良い点数をとっても、いざ外国人との実際の会話になると、何を言っているのかわからない状況に陥ってしまうのは、あなたがそれだけ話せないからです。

逆に言えば、スピーキング能力が向上すればするほど、自ずとリスニング能力は伸びていくのです。

私のアラビア語がまさにそうでした。

これまで繰り返し述べたとおり、私はアウトプットの学習から開始しました。スピーキングのためにとにかくたくさんの単語、表現、文章を覚え、外に「発信」していくと、そのレベルの向上に合わせ相手の話もわかる、つまり「受信」できるようになっていきました。

なぜなら、自分の脳から「発信」する音はまず忘れないので、自分の脳から外に「発信」する単語、表現、文章が増えれば増えるほど、脳がその音声を覚え、外国人から「受信」する単語、表現、文章にも正確に反応し吸収できるようになるのです。

まさに自分のものになる感覚です。

なので私は、スピーキングの訓練には第1章で述べたとおり幾多の苦難がありましたが、リスニングそのものに困ったことはありませんでしたし、結果としてリスニングだけを独立して勉強する必要もありませんでした。

リスニング能力を伸ばすには「音」から「入る」のではなく、先に「音」を「出す」こと、まさに「スピーキングファースト」が上達の秘訣なのです。

アウトプットを繰り返すと発音が良くなる

先に述べたように、「発信」(アウトプット)をたくさんすると、「受信」(インプット)の能力も上がっていきます。残念ながらその逆はありません。話せば話すほど、相手の音を察知する感覚が磨かれていくのです。

この段階になると、ネイティブスピーカーの音を聞くことは極めて重要です。自分の脳に(発信することで)受け入れの態勢を作っておくと、相手のよりきれいな発音が自分の発音を上書きしてくれるため、次回は前よりもきれいな発音で話せるようになるのです。

繰り返しますが、自分が発声したことのない単語は、脳に音を「受信」する態勢ができていないために、どんなに良い音でインプットしても、脳には残らないのです。

私が第2章で述べた「きれいな発音は後から付いてくる」の趣旨は、とにかくまずあなたの脳から言葉を発する、つまり「発信」を多くの単語、表現で繰り返していけば、同じものを外国人のきれいな発音で聞いたとき、それがあなたの脳に上書きされ、あなたの発音も徐々にネイティブに近づいていくということです。

私も、アラビア語学習では苦難の道を歩みましたが、話す量が増えれば増えるほど発音が良くなり、さらに自信をもって発声していけるようになりました。

インプットとアウトプットは5対5の割合で

では、インプットとアウトプットのバランスはどのくらいが良いのでしょうか。これまではアウトプットの割合が多くても2割、下手すればゼロに近かったのではないでしょうか。しかし、これからは、インプット5割、アウトプット5割を目標に学習しましょう。

そもそも、外国語の学習において、インプットがないとアウトプットはできないので、アウトプットがインプットの割合を超えることはありえないのですが、とにかく「アウトプットのためにインプットする」という考え方を徹底しましょう。

そして、勉強の仕方としては、これまでにも述べたとおり、何を話すのか（アウトプットするのか）からスタートするのです。

まずは、学習の初期段階では、使える語学にするために、限られた単語、文法を使って、限られた内容についてコミュニケーション（アウトプット）できることが重要です。

たとえば、あなたの参考書が20章から成り立っていたら、1章ごとにアウトプットとそのためのインプットを完了させるのです。学習の順番（何章から始めるか）はあなたの関心に合わせてください。

この場合のアウトプットは、人前でできればベストですが、まずは独り言で良いので声に出してみましょう。とにかく黙読でなく音を発することが大切です。

それはあなたの「発信脳」にとって決定的な違いとなります。音を発するだけでもスピーキング能力は向上するのです。

決して2章までインプットしてから、ましてや20章までインプットしてから、後追いでアウトプットしようと考えてはいけません。

それでは、これまでの誤った英語勉強法の二の舞になってしまいます。

また、これまでの習性で、インプットが先に進みすぎると、アウトプットはもういいよという「悪魔のささやき」が出てきてしまうのです。

ですので、とにかく「インプットとアウトプットを乖離させない」というルールを徹底してください。

そしてめでたく今使用している参考書が終わったら、あなたのゴールに照らして次のレベルの参考書を選び、また同じことを繰り返しましょう。結局はこの作業の繰り返しなのです。そしてそれが、いつの間にか大きな力になっていくのです。

このやり方は、これから新しい外国語を始めようという方に是非やっていただきたいと思います。

インプットしすぎた英語をやり直すには

それでは、すでにインプットがたくさん入ってしまっている英語の場合は、どうやり直せば良いのでしょうか。

市販の英語の本を手にとり、どれを勉強再開のための参考書にしようか迷っている方も多いと思います。私もその一人でした。

しかし、私の見る限り、市販の参考書は私たちが中学、高校と6年間勉強してきた内容をすべてアウトプットできることを前提に書かれたものが多く、それに上乗せする形で勉強を再開しても、結局真の意味でのやり直しにはならないと思います。

ですから、私の提案するアウトプット中心の学習に切り替えると言っても、これまでに多数の単語をアウトプットなしにインプットしてしまった後では容易なことではありません。

一方で、いったん覚えてしまった（インプットしてしまった）単語を無理矢理忘れることもできません。

そうであるなら、いったんインプットしてしまったすべての単語の中から、アウトプットできる単語だけを取り出すことができれば、新しい、そして正しいスタートラインに立てるのではないかと私は考えました。

あなたの脳には、中学、高校で、あるいは大学で学習した英語の単語、熟語、表現がすでに入っており、その中には、まだ生きているものもあるでしょうし、奥底で死んでいるものもあると思います。

そこから、まずはまだ脳の中で生きている単語、アウトプットできる単語を洗い出しましょう。

私が、「日本語脳」を駆使してアラビア語で成功した経験から言うと、日本語を聞いたり読んだりした後、すぐに正しいアラビア語を発声できた単語は、必ずアウトプットしたことがある単語、逆に出てこなかった単語は、そもそも知らないか、勉強して知ってはいたが実際に自分の口からは出したことがない、つまりアウトプットしたことのない単語に分けられました。

そして、私は知ってはいたが発声できなかった単語については潜在能力のある単語ととらえ、次からはアウトプットできるよう意図的にその単語を使っていくようにしました。

先ほど述べたように私の場合は、アラビア語については当初からインプットとアウトプットが乖離しないような学習を心がけていましたが、それでも上級レベルになると、読書量も格段に増えたため、インプットとアウトプットの乖離を是正するためにこの方法をとりました。

大変効果的な勉強法でしたので、この方法を英語にも適用していただけたらと思います。

一つの日本語からいくつの英単語が言えますか

具体的には、「日本語脳」を回転させて、日本語を英語に言い換えてみてください。

たとえば、「小さい」を英語で言い換えてみましょう。

皆さん、smallとlittleはすぐに口から出てくるのではないでしょうか。

他には何が出てきましたか。そう、minorとかtinyも答えになりますよ。minor changeとかtiny shoesとか言いますよね。

そこで、もしあなたが、minorやtinyを知らない、習っていないなら、出てこなくても実は問題ありません。

日本語の「小さい」から、習っていたsmallとlittleがしっかり言えるということは、インプットとアウトプットが乖離していないということで、安心して次のステップに移行していただけます。

それでは、「広い」はどうでしょうか。wideやbroadは言えてもspaciousまで言えた方はそう多くないのではないでしょうか。

このように、英語で見れば知っているのに、日本語で言われると出てこない言葉、たとえば、minorやtinyやspaciousを英語では知っているのに、日本語からは言えなかった場合は、これらの単語はあなたがこれまでに口頭で言ったり、人前で使ったことがない言葉である可能性が高いと思われます。

このやり方で、たとえばあなたが使用している市販の単語集で、日本語から英語にしてみてください。

そして、①発声できた単語、②日本語からは発声できなかったが、英語を見れば知っていた、つまり脳の中では覚えていた単語、③英語を見てもわからなかった単語に分類してみてください。

ここで大切なのは、②の日本語からは発声できなかったが、英語を見れば知っていた単語です。これらの単語こそが、あなたにとって、これからインプットとアウトプットの距離を埋めるためのターゲットにすべき単語なのです。

これらの単語は、現時点ではアウトプットできなくても、見れば覚えていたということは、それを口頭で使える、つまりアウトプットしてビジネスで使える可能性が、まったく知らない単語よりははるかに高いと思います。そして、ターゲットが決まったら、それらの単語を実際に口に出して使っていきましょう。

このような作業をしていけば、あなたの英語のインプットとアウトプットの乖離は徐々に縮まっていくと思います。

また、他の外国語を現在学習している方で、不幸にもインプットがすでに先行しているなと思う方は、同様のやり方で、一度、自分の脳の中を整理してみましょう。

これは、なかなか骨の折れる作業ではありますが、このプロセスだけは我慢してやってください。そうでないと結局、あなたの外国語の勉強法はこれまでと変わらず、また、さらなる「アウトプットなきインプット」を増やしてしまうことになります。

第5章　外国語習得の具体的メソッド

この章では、ここまで述べてきた「日本語ファースト」「スピーキングファースト」などの考え方を、具体的な勉強法に落とし込んで説明します。

私が独自に行ってきたメソッドに加え、私も含め通訳者が実践しているメソッドの中で、語学の「習得」の段階で役に立つものを選んで解説していきます。

①いつでも話せる「自己発信ノート」を作る

これまで述べてきたように、私は、とにかく少ないインプットの中でいかに外国人と話すかに腐心してきました。

そのためには、外国人に対して、まず自分のほうから先手を打って発信できる自己紹介や、話すべき自分の意見をしっかり事前に考えておくことが最も重要と考えて力を注ぎました。

学習する題材を最大限活かして自己紹介や自分の意見をまとめた文章を作り、いつでも自分から話せるようにこれらをノートに書き留めて暗記しておく。

これを「自己発信ノート」と呼ぶことにします。

私はこのノートを作り覚えることで、アラブ人に対しても臆することなく、これだけは言えるという自信がつきました。

いつでも外国人にアウトプットできる状況を整えるために効果的ですので、あなたにも是非おすすめします。

これから新しい外国語を始めようという方は、最初に外国語の参考書を読むのではなく、是非この「自己発信ノート」を「日本語」で作成することから始めてみてください。

英語をやり直したい方も、この機会に初心に帰って、日本語で自己紹介文を作ってみてはいかがでしょうか。

繰り返しますが、その時点であなたの外国語学習は「日本語脳」が基軸となり、「受け身」から「発信」の学習に変わっていくのです。

それでは、少し例文を交えて説明します。

まずは、自己紹介からです。皆さん、それぞれ自己紹介文を日本語で作ってみましょう。

「こんにちは。私の名前は中川浩一です。私は日本人です。私は外務省の職員です。私はアラビア語を勉強するためにエジプトに来ました。一生懸命がんばります」

私は自己紹介の基礎となるこの文章を、いつでもアラブ人に発信できるようアラビア語に訳しておきました。

次に、テキストの中からたとえば、

（ムハンマド）

ようこそ、エジプトへ。私の名前はムハンマドです。あなたはエジプトに何年間いる予定ですか。どうやってアラビア語を勉強するのですか。アラビア語は難しいのに、何のために勉強するのですか。

（太郎）

ムハンマドさんと知り合えて嬉しいです。私はエジプトに3年間滞在する予定です。私はカイロ大学で勉強します。私はアラビア語が世界で最も難しい言語であることを知っています。しかし、私は日本の商社マンとして、日本と中東の架け橋になりたいのです。

という外国語の題材を選んだら、この文章をいかに自分の自己紹介に組み込めるかを考えます。

そうすると、この時点でできる私の「自己発信ノート」の日本語の内容は以下のようになります。

「こんにちは。私の名前は中川浩一です。私は日本人です。私は外務省の職員です。私はアラビア語を勉強するためにエジプトに来ました。一生懸命がんばります。ムハンマドさんと知り合えて嬉しいです。私はエジプトに3年間滞在する予定です。私はカイロ・アメリカン大学で勉強します。私はアラビア語が世界で最も難しい言語であることを知っています。しかし、私は日本の外交官として、日本と中東の架け橋になりたいのです」

このように学習する題材をヒントにして、どんどん自分の立場に置き換えて行くことがコツです。そして、これを「外国語」にして繰り返しアウトプットするのです。

アウトプットというと、人前で話すというイメージをもたれるかもしれませんが、まずは「自己発信ノート」の作成を目的とした作文（ライティング）だけでもいいですし、さらにそれを実際に発声してみると効果が全然違います。

私は、相手がいないときは、風呂場で大きな声で発声の練習をしていましたよ。

いずれにせよ、これだけ最初から言えれば、外国人との挨拶としては合格だと思います。私がアラビア語でここまで言えるようになったのは、日本での1年間の研修では無理で、エジプトのカイロ・アメリカン大学に行ってしばらくしてからでした。

また、どのような機会でも、外国人と話したらその内容を「自己発信ノート」に書き留めておくことが、次の機会でさらにレベルアップした内容の発信をするために効果的です。

私の場合、たとえば、エジプトで住んでいたアパートの管理人との会話で、

（浩一）

すみません。私は中川浩一と言います。このアパートの28階に住んでいます。ピラミッドが見えて景色は良いのですが、部屋のクーラーが壊れて暑くてたまらないんです。早く修理屋を呼んでください。あと、この近くに美味しいエジプト料理の店はありますか。

（アハマド）

ようこそ、エジプトへ。エジプトではマカロニ、ごはん、玉ねぎの揚げたものにトマトソースをかけて食べるコシャリが有名だよ。このアパートの近くにはお店がないから、タクシーでタハリール広場まで行きなさい。そうすればたくさんお店があるよ。クーラーはそのうち修理屋を呼んでおくよ。インシャーアッラー、神のみぞ知るだね。

というやりとりをしたら、それをベースにして「自己発信ノート」にプラスしていきました。

すなわち、このやりとりを踏まえた「自己発信ノート」の内容は、

「すみません。私は中川浩一と言います。このアパートの28階に住んでいます。ピラミッドが見えて景色は良いのですが、部屋のクーラーが壊れて暑くてたまらないんです。早く修理屋を呼んでください。あと、この近くに美味しいエジプト料理の店はありますか。なるほど、エジプトではマカロニ、ごはん、玉ねぎの揚げたものにトマトソースをかけて食べるコシャリが有名なんですね。このアパートの近くにはお店がな

いから、タクシーでタハリール広場まで行きます。そうすればたくさんお店があるんですね」

となります。

こんなふうに、外国人との会話を自分の次の発信カードにして、自分が話せる引き出しをどんどん増やしていくのです。

外国人が話した言葉の中に、気に入った、かっこいいな、自分も使いたいなと思う表現があれば、是非「自己発信ノート」に入れておいてください。

ただし、最初はなかなか頭に定着しないので、繰り返し話す練習が必要です。最初から淀みなく言える人はいません。粘り強く練習するためにも、「自己発信ノート」というベースがあると効果的だと思います。

そして、慣れてきたら、少しでも長い自己紹介文を作れるようにしましょう。

それが1分ぐらいになったら、30秒ごとの2通りのパターンに分けて、TPOに応じて使いこなせるようにするのです。これは人前で話す絶対的な自信になります。

また、新しい単語や文法を習ったら、どんどん自己発信ノートに加えていくことも効果的です。

たとえば、「りんご」という単語を覚えたら、「私はりんごが好きです」という表現を自己紹介文に加えましょう。「努力する」という単語を習ったら「私はアラビア語をマスターするために努力します」という自己紹介文ができるでしょう。

こうして、習った基本単語、基本文法を上手く活用すれば、参考書一冊を終える頃には、内容のレベルはともかく、相当長い自己紹介文ができるでしょう。

そして、さらにレベルアップして、自己紹介文を音読すると仮に4分になったとしたら、次は相手に応じてたとえば2分×2、1分×4のセットを作っていくのです。

参考までに、エジプト研修時代の私の自己発信ノートのうち、自己紹介や日常会話レベルのテーマはだいたい次のような感じでした。

皆さんもそれぞれオンリーワンの「自己発信ノート」を作成し、それらを絶えず手元において、まずは独り言でもいいので、発声するよう心がけてください。


（私の自己発信ノート）
○名前、所属、家族

○タクシーの乗り方（エジプトではタクシーにメーターがついていなかったので、毎回運転手との交渉になるのです）

○電話のかけ方（話し言葉ができないので苦労しました）

العلاقات بين اليابان ومصر ومستقبلها
（日本とエジプトの関係及びその将来）

لم تكن العلاقات بين اليابان ومصر وثيقة قبل أزمة البترول
الأولى في عام ١٩٧٣ . لأنّ اليابان لم تهتم بالقضايا المحلية
و العلاقات مع الولايات المتحدة فقط منذ هزيمتها في الحرب
العالمية الثانية في عام ١٩٤٥ . فلم تسمح للسياسة اليابانية
بتعليق أهمية كبيرة على الشرق الاوسط البعيد عن اليابان
سياسيا و اقتصاديا و ثقافيا رغم أنّ عدة صراعات بين
العرب و اسرائيل اندلعت منذ قيام دولة اسرائيل في عام ١٩٤٨.
ولكن أزمة البترول أثرت على الاقتصاد الياباني تأثيرا كبيرا
و سلبيا و عرفت اليابان أهمية الشرق الأوسط حيث
اعتمدت اليابان نسبة ٧٠ في المية من وارداتها البترول
على بترول الشرق الأوسط
بعد ذلك أصبحت اليابان تقيم وزنا كبيرا لهذه المنطقة
ومنها مصر التي احتلت مكانا مهما في المجالات السياسية
و الاقتصادية و الثقافية .
في الثمانينات بعدما أصبحت اليابان دولة عظمى إقتصاديا

エジプト研修時代に作った「自己発信ノート」。

○クーラーの修理屋との話し方
○アパートの管理人との話し方
○市場（スーク）での買い物の仕方
○アラビア語を勉強している理由
○エジプトで好きな料理
○エジプトで好きな観光地（ギザのピラミッドなど）
○日本とエジプトの関係とその将来

しかし、いつまでも自己紹介や日常会話のレベルにとどまっているわけにはいきませんよね。

次は、あなたのビジネスや関心があって話したい分野に関係するトピックについて、自分の意見を言えるようにしましょう。

そのコツは、とにかくまず話したいトピック、内容を「日本語」で考え、それに関連する題材を選び活用することです。

これがまさに私がエジプトでやってきた方法です。

次の文章は、「イチローの引退」について自己発信したいあなたのために選んだものです。まず日本語を読んで自分が何を話すのか考えましょう。

そのうえで外国語と照らし合わせるのです。そして、この文章を活かして作った自分の意見を「自己発信ノート」に書き込みましょう。ここでは、外国語の一つの例として英語を使って説明したいと思います。

(日本語)

2019年3月21日、イチロー選手は東京ドームの熱狂的なファンの前で、28年間の野球選手としてのすばらしいキャリアについに幕を下ろした。イチロー選手は記者会見で、「キャリアを振り返る時、きっと今日のことを最も記憶に残る日として思い出すだろう。今日いただいた反応の後で、後悔などあろうはずがありません」と語った。

イチロー選手の同僚は、「彼はアメリカと日本で信じられないことを成し遂げた。彼は、壁を乗り越え、二つの国をつなぐためにたゆまぬ努力をした。二つの国にとても大きな影響を与えた」と話した。

イチロー選手は、今後も日米友好のために、大切な役割を果たしてくれるだろう。

〔英語〕

Finally, Ichiro brought down the curtain on his remarkable 28-year baseball playing career on March 21, 2019, in front of his enthusiastic fans at Tokyo Dome. "When I look back on my career, I will no doubt remember today as the most memorable day. After the reception I got today, how could I possibly have any regrets?" Ichiro told a news conference.

One of his colleagues said "Ichiro has achieved an unbelievable career not only in US, but here in Japan. He made continuous efforts to cross barriers and bring countries together. He made huge impact on countries."

Ichiro will play an important role for Japan-US friendship.

（参考：「The Japan Times」2019年３月22日付）

そして、この文章から自分の意見を考えます。その際、題材をできるだけ活かしつつ、まずは、「私は～です」「私は～と思う」という形にしてみることです。

（日本語）

２０１９年3月21日、イチロー選手は東京ドームの熱狂的なファンの前で、28年間の野球選手としてのすばらしいキャリアについに幕を下ろしました。私はイチロー選手に感謝したいです。イチロー選手は記者会見で、「キャリアを振り返る時、きっと今日のことを最も記憶に残る日として思い出すだろう。今日いただいた反応の後で、後悔などあろうはずがありません」と語りました。私は、イチロー選手のこの言葉を聞いて泣きました。

イチロー選手の同僚は、「彼はアメリカと日本で信じられないことを成し遂げた。彼は、壁を乗り越え、二つの国をつなぐためにたゆまぬ努力をした。二つの国にとても大きな影響を与えた」と話しました。私もそのとおりだと思います。

私は、イチロー選手は、今後も日米友好のために、大切な役割を果たしてくれると信じています。

〔英語〕

Finally, Ichiro brought down the curtain on his remarkable 28-year baseball playing career on March 21, 2019, in front of his enthusiastic fans at Tokyo Dome. I would like to thank Ichiro. "When I look back on my career, I will no doubt remember today as the most memorable day. After the reception I got today, how could I possibly have any regrets?" Ichiro told a news conference. When I heard his comments, I cried.

One of his colleagues said "Ichiro has achieved an unbelievable career not only in US, but here in Japan. He made continuous efforts to cross barriers and bring countries together. He made huge impact on countries."

This is exactly how I think.

I believe Ichiro will play an important role for Japan-US friendship.

このように選んだ題材の文章を少し加工するだけで、自分の意見を表す立派な文章が完成します。

もちろん、あなたのレベルが上がれば、こんな簡単なものでは物足りなくなり、I think や I believe だけでなく、In my opinion, In my view, As far as I am concerned なども使い、あるいはこのままが自分の意見でないという場合には、I disagree, I oppose, I have a different opinion などで修正していただければ良いのですが、私がここで言いたいのは、

①学習する題材は、自己発信に役立つものを選ぶこと
②選んだ題材は、できるだけ有効に活用して自己発信に結びつけること

の二つです。

これまでは題材は与えられるもので、その題材の学習もインプットのためということが多かったと思いますが、これからは学習する題材、すなわちそこに出てくる単語、文法、表現はすべてあなたの自己発信に活用する、学習した題材は無駄にしないという強い覚悟で取り組んでいただきたいと思います。

このようにして、あなたのビジネスに関連する、あるいはあなたが関心のある分野

ごとに必要だと思うトピックを厳選して「自己発信ノート」に書いていきましょう。

これはあなただけのオンリーワンのノートです。自分の引き出しを絶えず豊かにしていきましょう。

参考までに、あなたが中東のA国にB社の商社マンとして海外赴任し、プレゼンや商談を行う際の、私が考える自己発信ノートの主な項目は次のとおりです。皆さんもそれぞれの置かれた状況に応じて、できるだけ細かく作成してみてください。

急にプレゼンを頼まれた場合を想定して、普段からできる限り多くの項目を入れて、そのまま発動できるような内容、外国語にしておきましょう。

○名前、所属、家族、趣味
○なぜ、B社に入ったのか。これまでB社で何をやってきたのか（商談相手に自分の熱意やバックグラウンドを伝えることは重要）
○B社におけるあなたの現在の仕事内容（担当しているプロジェクトがあればその内容を詳しく）
○A国でB社が展開する理由
○A国でB社が展開する事業分野の他社の動向

○日本とA国の関係
○中東のエネルギー情勢に関するあなたの分析
○中東の政治情勢に関するあなたの見方
○日本の現状（経済状況など）

②自分仕様の「オリジナル単語帳」を作る

私は、人間の脳に収容できる単語の数には限界があると考えています。

そして、よく使う単語は脳の上層部にあり新鮮な状態を保っていますが、ふだん使わない単語は、脳の奥底にゴミとなって沈んでいるか壁に垢(あか)となってへばりついていると考えています。

それは、私が数々の通訳をやってきて実感していることです。

ですので、ビジネス本番で必要な単語を瞬時に取り出すには、自分の脳を絶えず新鮮な状態にしておくために、ゴミや垢となった単語をそのまま脳の同じ場所に置いておかない工夫が必要です。

そのために、あなたに現在必要な単語だけを抽出した、自分仕様の「オリジナル単語帳」を作成することを強くおすすめします。

「オリジナル単語帳」は、あなたが外国人に発信する可能性のある単語に絞ることがポイントです。

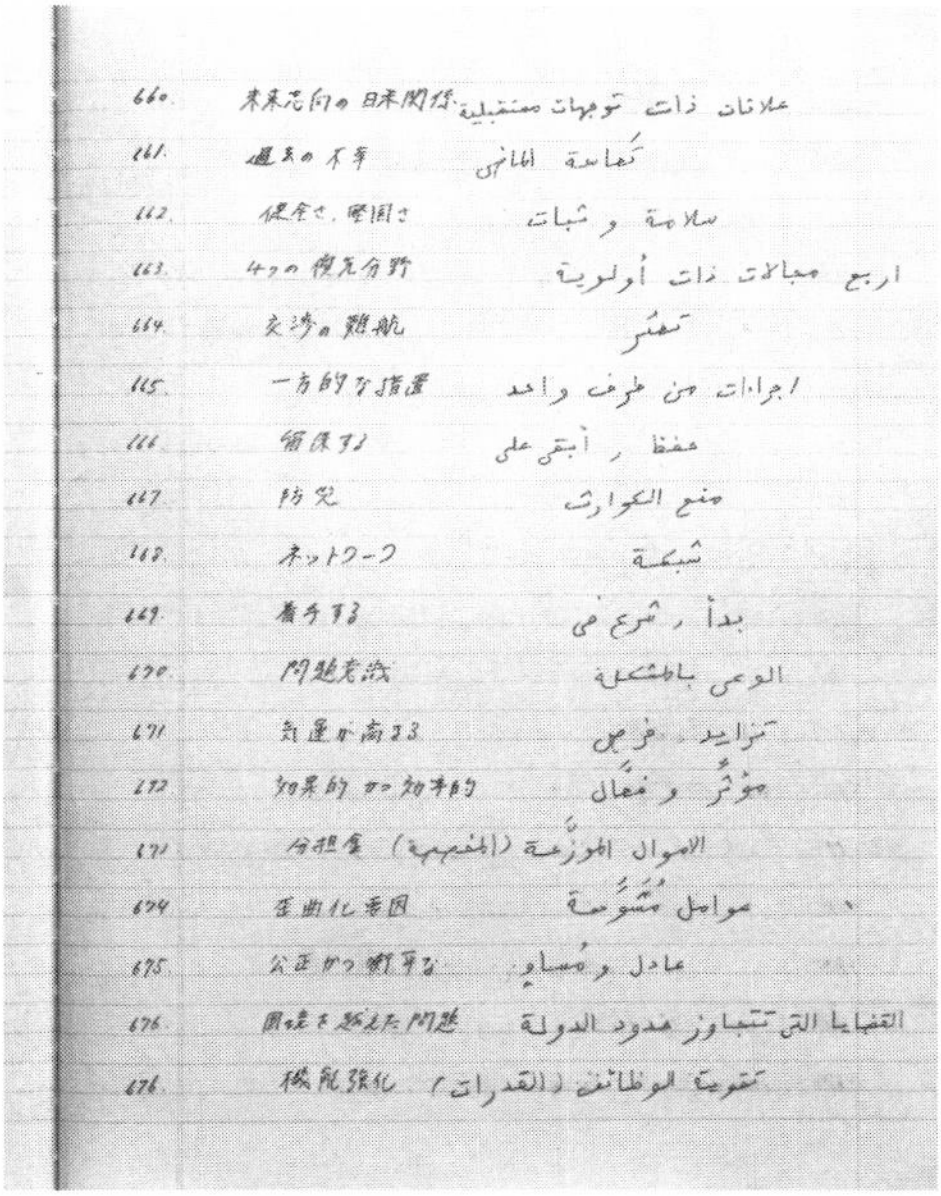

660.	未来志向の日本関係	علاقات ذات توجهات مستقبلية
661.	過去の不幸	تعاسة الماضي
662.	健全さ、堅固さ	سلامة و ثبات
663.	4つの優先分野	اربع مجالات ذات أولوية
664.	交渉の難航	تعثر
665.	一方的な措置	اجراءات من طرف واحد
666.	留保する	حفظ , أبقى على
667.	防災	منع الكوارث
668.	ネットワーク	شبكة
669.	着手する	بدأ , شرع في
670.	問題意識	الوعي بالمشكلة
671	気運が高まる	تزايد , فرص
672	効果的かつ効率的	مؤثر و فعّال
673	分担金	الاموال الموزعة (المنهجية)
674	歪曲化要因	عوامل مشوهة
675.	公正かつ衡平な	عادل و متساو
676.	国境を越えた問題	القضايا التي تتجاوز حدود الدولة
676.	機能強化	تقوية الوظائف (القدرات)

エジプト研修時代の「オリジナル単語帳」。

したがって、そのベースになるのは、先に提唱した「自己発信ノート」やあなた自身が選んだ題材となります。

つまり、その単語帳にある単語は、あなたの自己発信、アウトプットに直結するものばかりということです。

これはあなただけのオンリーワンの単語帳です。誰しも置かれた立場、環境は異なるわけですから、必要な単語が違うのは当然です。

これに対し、市販の単語集はほとんどが検定試験や入試対策に作られたものであり、たしかに検定試験や入試で良い結果を出すためには大変有益ですが、あなたの語学のレベルや関心分野には関係ない語も多数含まれるために、あなたが外国人に発信したい語彙とは相当な乖離があります。

そう、まさに市販の単語集は、私がこの本で主張する「インプットとアウトプットを乖離させない」に適さないのです。

ましてや、それを丸ごと覚えようとすることは最もやってはいけないことです。

なぜなら、これまでも述べてきたように、外国語というものはアウトプットのために勉強するもので、自分がアウトプットしない、できないものを無理矢理覚えようとしても、脳の中に垢となってたまるだけだからです。

垢が多ければ多いほど、その分必要なときに必要な単語、表現が出てこなくなるのです。

私もエジプトでのアラビア語学習において、研修期間の後半になると、語彙もそれなりに増えてきました。

アラビア語であれば、アラブ文学やアラブの歴史について相当多数の単語が存在し、これを覚えるべきか、自分のオリジナル単語帳に入れるべきか随分悩みましたが、外交交渉に必要な分野の単語を優先しました。

それでは、具体的にどのように「オリジナル単語帳」に入れていくのか、先ほど使用した「イチローの引退」は、そもそもあなたの自己発信のための題材ですので、ここからあなたの記憶が確かでない単語を抜き出します。

ここでは①から⑳がそれに当たるとします。

（日本語）

２０１９年3月21日、イチロー選手は東京ドームの①熱狂的なファンの前で、28年間の野球選手としての②すばらしいキャリアに③ついに④幕を下ろした。イチロー選手は記者会見で、「キャリアを⑤振り返る時、きっと今日のことを最も⑥記憶に残る日として思い出すだろう。今日いただいた⑦反応の後で、⑧後悔などあろうはずがありません」と語った。

イチロー選手の同僚は、「彼はアメリカと日本で⑨信じられないことを⑩成し遂げた。彼は、⑪壁を⑫乗り越え、二つの国を⑬つなぐために⑭たゆまぬ⑮努力をした。二つの国に⑯とても大きな⑰影響を与えた」と話した。

イチロー選手は、今後も日米⑱友好のために、⑲大切な⑳役割を果たしてくれるだろう。

〔英語〕

③Finally, Ichiro ④brought down the curtain on his ② remarkable 28-year baseball playing career on March 21, 2019, in front of his ①enthusiastic fans at Tokyo Dome. "When I ⑤look back on my career, I will no doubt remember today as the most ⑥memorable day. After the ⑦reception I got today, how could I possibly have any ⑧regrets?" Ichiro told a news conference.

One of his colleagues said "Ichiro has ⑩achieved an ⑨unbelievable career not only in US, but here in Japan. He made ⑭continuous ⑮efforts to ⑫cross ⑪barriers and ⑬bring countries ⑬together. He made ⑯huge ⑰ impact on countries."

Ichiro will ⑳play an ⑲important ⑳role for Japan-US ⑱friendship.

このようなやり方で、あなたが選んだ題材の中で記憶が確かでない単語をどんどん「オリジナル単語帳」に入れていってください。

これに加えて、第4章の「インプットしすぎた英語をやり直すには」の中で述べたような、日本語からは言えなかったが外国語（英語）を見れば知っていた単語も「オリジナル単語帳」に入れてみてください。第4章でいうとtiny, minor, spaciousがそれにあたります。なぜなら、それもあなたのこれからの自己発信に活用できる単語だからです。

ただし、それらの単語には☆をつけておき、自己発信できるようになったら☆は消していきましょう。

あなたが使用している市販の単語集でも同様の作業をして、「オリジナル単語帳」に入れていきましょう。

このようにしてできる「オリジナル単語帳」のイメージは次のとおりです。

日本語	外国語	備考	
①熱狂的な	enthusiastic	☆zealous	☆passionate
②すばらしい	remarkable	wonderful	☆brilliant
③ついに	finally	at last	☆eventually
④幕を下ろす	bring down the curtain	come to an end	complete
⑤振り返る	look back	review	
⑥記憶に残る	memorable	unforgettable	
⑦反応	reception	response	reaction
⑧後悔	regret	sorry	
⑨信じられない	unbelievable	incredible	
⑩成し遂げる	achieve	realize	☆accomplish
⑪壁	barrier	hurdle	
⑫乗り越える	cross	overcome	☆get over
⑬つなぐ	bring together	bridge	connect
⑭たゆまぬ	continuous	constant	☆tireless
⑮努力（する）	effort	try	strive
⑯とても大きな	huge	☆enormous	☆tremendous
⑰影響	impact	influence	effect
⑱友好（的な）	friendship	cordial	☆amicable
⑲大切な、重要な	important	significant	vital
⑳役割を果たす	play a role	play a part	☆fulfill a role
小さい	little	☆minor	☆tiny
広い	wide	broad	☆spacious

③「表現力」を高めるパラフレージング

さて、これまであなたは「日本語脳」をフル回転させ、「自己発信ノート」と「オリジナル単語帳」を作って学習を進めてきました。

ここからはそれをベースにして、外国人に対してより上手く話す訓練、スピーキング能力とリスニング能力を高める練習をしていきたいと思います。

その際には、通訳者が実際に行っているトレーニング法を応用することが効果的ですので、以下紹介していきます。

これまですでに日本語を外国語に置き換えることをしてきましたが、ここではさらに「表現力」を高めるためのパラフレージングという練習をしましょう。

パラフレージングとは、ある程度の長さの外国語の文章を最後まで聞き、それを記憶に留め、口頭でできるだけ原文とは異なる表現を使って再現することです。

本来は外国語の文章を聞いた瞬間から訳し始めないといけない同時通訳者が、最初に聞いた単語、節から違う構成の文章を作成することで、最初に想定していた文章と違う内容の文章でも結果的に一文全体の意味を変えないようにして伝えるための練習ですが、私が皆さんにおすすめしたいのは、まずはその前提となる「単語」「表現」

の言い換えです。

一つの単語、表現を可能な限り違う言葉、表現に言い換えることで、あなたの自己発信のバリエーションが確実に増え、外国人に対してあなたの語学力はすごいと思わせることができるので、大変重要な練習です。

この「表現力」を具体的に説明すると、たとえば日本語では、「精一杯」には、「精一杯」を含めて「全力で」「一生懸命」「力の限り」の4通りの類義語があり、「努力する」には、「努力する」を含め、「頑張る」「力を注ぐ」「尽力する」「精進する」「奮闘する」の6通りの類義語があるとすると、「精一杯努力する」は、実に24通りの言い回しができることになります。

これを外国語にも適用し、自分の中でできる限り多くの組み合わせを外国語で作るのです。

そして、「精一杯努力する」のバリエーションを立て続けに計24通り外国語で発声する練習をします。

ただし、いきなりここまで行かなくても、2通り（「精一杯」「全力で」）×2通り（「努力する」「頑張る」）の4通りでも十分です。

この練習は、あなたのプレゼン能力の強化にもつながります。

そして、この組み合わせを本番でいくつ使えたかが、商談相手を語学力でうならせるための大きなポイントになります。メール文でも同様です。

通訳の練習と違うのは、通訳の場合は、他人が発する言葉（いわゆる外部の「口」の世界）を日本語→外国語、外国語→日本語に置き換えるのに対し、ビジネスでのプレゼンや交渉は、自身の脳から出た言葉（いわゆる内部の「脳」の世界）を置き換えることだけです。

これは、短期的には違う技術となりますが、中長期的には双方に相乗効果があります。通訳では、最終的に、外部からの言葉を、自分の脳を通して直ちに「口」から出るまで訓練を行う必要がありますし、私はそれを徹底してやりました。

そして、私は、このような練習も含めて通訳を実際にやった後は、確実に自分自身のアラビア語のプレゼンや、アラブ人との交渉力が向上したと実感しました。「外部の音」→「自分の脳」→「自分の口」の練習が、結果的には「自分の脳」から「自分の口」への指示のスピードも上げたのだと思います。

また、この方法は英語でも十分に通用することが、これまでの私の外務省での実務経験で実証済みです。

それでは、先ほどの「イチローの引退」の例文で「表現力」を鍛えてみましょう。

私は、この「表現力」は外国語を攻略するにあたって最も大切な力の一つだと考えていますので、一つ一つの単語を使って丁寧に解説し、そのコツをお伝えしたいと思います。

①の「熱狂的な」にぴったり当てはまる英語は enthusiastic ですが、zealous や、日本語を少し変えて「情熱的な」とすれば、passionate と言い換えることもできます。このように、日本語→英語で正確に置き換えることも大事ですが、日本語を類似の表現に変えることで英語の表現を増やしていくことが、自己発信で使える単語を増やす秘訣です。

②の「すばらしい」は、例文では remarkable となっていますが、もっと簡単に wonderful や excellent と言い換えられますし、逆に少し難しく brilliant とも言えます。このように一つの単語をあなたの現在のレベルに合わせて変えていくとともに、

将来のあなたの自己発信の目標として難しい単語も習得しておくのがポイントです。

③の「ついに」は、皆さんに一番なじみがあるのは at last、その他にも eventually, after all, in the end と言い換えることが可能です。

④の「幕を下ろす」は、日本語でも単に「終える」とするより格好良い表現ですね。例文もちょっと気取って bring down the curtain としていますが、難しいと思う方は、日本語の「終える」にあたる complete や finish に置き換えても構いません。

⑤の「振り返る」は look back がぴったりくる熟語ですが、この熟語が出てこない場合は、日本語を少し変えて「見返す」「見直す」と考えれば review でも言い換えられます。

⑥の「記憶に残る」は、いちばんしっくりくる単語は例文の memorable ですが、少し日本語を変えて「忘れられない」とすると unforgettable という単語が出てきま

す。

⑦の「反応」は、例文ではイチロー選手が喜びをもって観客に受け入れられた、すなわちreceiveされたという点を重視してreceptionとしていますが、日本語だけを考えればresponseやreactionという単語もあります。

⑧の「後悔」は、例文ではregretで、もちろんこの単語が出てくれば望ましいですが、もっと簡単に形容詞のsorryを使っても十分通じます。繰り返しますが、この単語の言い換え練習では、何も難しい単語に変える必要はなく、あなたの現在のレベルに合わせて調整するのが大事な作業となります。

⑨の「信じられない」は、unbelievableとincredibleの両方の形容詞がすぐに出てくるのが望ましいです。これが難しい場合は、「信じることができない」と考えてI can not believeとしても通じると思いますが、先ほどの⑥のように「～able」の形の英単語は非常に便利なので、皆さんこの機会に覚えてみてはいかがでしょうか。

⑩の「成し遂げる」もたくさんの表現があります。例文の achieve をはじめ、realize, accomplish, fulfill などが出てきたでしょうか。また、日本語を「実行する」と変えれば carry out, practice, perform, implement, execute などもあります。

⑪の「壁」は、ここでは「障害」という意味なので、wall ではなく、barrier か hurdle という単語の方が望ましいです。このように文脈に応じて適切な単語に置き換えられると表現が豊かになりますね。

⑫の「乗り越える」は、この文脈では cross の他に、overcome, get over が適切です。目に見える壁 wall を乗り越える場合は、jump / climb over を使います。

⑬の「つなぐ」は、国際交流の場面ではよく使う言葉なので覚えておくと便利です。bring together, bridge が使えるとかっこいいですが、直訳して connect でももちろんＯＫです。

⑭の「たゆまぬ」は、continuous, constant が出てくるといいですね。tireless が使えるとかっこいいと思います。

⑮の「努力」は、名詞では effort ですが、動詞にして try, strive, endeavor なども積極的に使っていきましょう。

⑯の「とても大きな」は、huge の他に enormous, tremendous が出てくるとすばらしいと思います。日本語を「大きな」にすれば、big, great, large がありますので、あなたの現在のレベルに応じて使い分けていきましょう。一つの単語にこだわらず、できるだけたくさんの単語を自己発信できるように頑張りましょう。

⑰の「影響」は、例文の impact の他に influence, effect なども使えます。

⑱の「友好」は、名詞では friendship ですが、国際交流の場面では「友好的な関

係」として cordial / amicable relationship などがよく使われますので覚えておくと便利です。

⑲の「大切な」は、汎用性の高い日本語です。「大切な」のほかに「重要な」「不可欠な」と日本語の類義語をたどっていくと important, significant の他に vital, essential, indispensable, crucial などの単語もあります。いろいろな単語を使ってみてください。

⑳の「役割を果たす」は、play a role, play a part, fulfill a role, take a role などがあります。

このようにして日本語をベースに、どんどん単語、表現を置き換えていきましょう。

このやり方は、私がアラビア語の学習で最も効果的に「表現力」をつけられたと実感しているものなので、皆さんにも強くおすすめします。

そして、その中であなたが自己発信のために使えそうな単語があれば、先ほどの

「オリジナル単語帳」に書いておきましょう。
ただし、まだ自己発信していない単語には☆をつけておきます。

次に、文章単位で表現力をアップさせる練習をしましょう。

例文では、

③Finally, Ichiro ④brought down the curtain on his ②remarkable 28-year baseball playing career on March 21, 2019, in front of his ①enthusiastic fans at Tokyo Dome.

ですが、これを、

③At last, Ichiro ④completed his ②brilliant 28-year baseball playing career on March 21, 2019, in front of his ①passionate fans at Tokyo Dome.

と言い換えるのです。

こうやって、まずは単語、表現レベルでの置き換えを練習した後、それをベースに次は文章単位で置き換えの練習をしていき、先の「自己発信ノート」の内容も様々なバリエーションを準備しておくと、あなたの自己発信力、スピーキングの能力は飛躍的にアップしていきます。

④「瞬発力」を鍛えるクイックレスポンス

ビジネスにおける外国人とのやりとり、あるいは自身のプレゼン、交渉の際に決定的に重要となるのは、日本語→外国語、外国語→日本語をいかに速く置き換えて発声できるかです。そのために大事になる「置換力」「瞬発力」はどのように鍛え、伸ばしていけば良いのでしょうか。

この点、私が最も役に立ったと思う勉強法が、瞬発力を鍛えるために、口頭で単語、熟語、慣用句などを瞬時に答える練習です。

これを通訳の世界では、クイックレスポンスといいます。

そしてその格好の素材となるのが、あなた自身で作りあげた「オリジナル単語帳」です。

あなたの「オリジナル単語帳」(左に日本語、右に外国語です)を半分に折り、まずは繰り返し自分で日本語→外国語、外国語→日本語を覚えるまでチェックし、発声練習を行います。

先ほどの「イチローの引退」の例文で言えば、①から⑳までを順番に日本語→外国語、外国語→日本語で口に出してチェックします。

①熱狂的な→enthusiastic、②すばらしい→remarkableという感じです。ここで重きを置いてほしいのは、「日本語脳」を鍛えるための、日本語→外国語の方の訓練です。

私の経験から言えば、日本語→外国語がしっかりできるようになれば、外国語→日本語はおのずとできるようになります。それはベースとなる「日本語脳」が確立しているからだと思います。

私は、先に単語テストの害について書きましたが、それは紙の上で満足するからであって、この場合のテストは口頭で、かつまさにアウトプットのために行うので大変効果があります。

できるようになったら、テスト範囲を広げます。あなたの「オリジナル単語帳」をベースに30語→100語→200語という感じです。

この作業は一人でもできるのですが、もしあなたに口頭テストを手伝ってくれる人がいたら是非その人の力を借りて、ビジネス本番さながらの雰囲気で練習してみることをおすすめします。

これはまさに「イントロクイズ」の世界です。

ある日本語を聞いてから、外国語が口から音として出る時間を1秒以内にするのが目標です。

相手の言葉を聞いてからの反応が速くなると、相手に与える印象が格段に良くなります。

これが2秒以上になると、どうしても間(ま)を埋めるために「アー、ウー、エー」と言ってしまいがちですが、これは練習でも言わないようにしておくべきです。

このような悪い癖は外国人と話す本番でも出るものです。

どうか皆さん、大変な作業かもしれませんが、この練習を是非やってみてください。

「オリジナル単語帳」には、あなたが自己発信に使う単語しかないはずです。ですので、これらの単語の置き換えのスピードが速くなれば、ビジネスでの外国人とのやりとり、メールのやりとりもスムーズになって確実に効果が出ると思います。

⑤「メモを取らない力」を身につけるリプロダクション

さて、あなたは「表現力」「瞬発力」が鍛えられ、外国人とテンポ良くバラエティに富んだ表現で話せるようになってきました。

これからはさらにレベルアップしていきましょう。そのためには相手の長い話を聞いて、それに的確に対応する訓練も必要です。

ビジネスの本番で、相手からいくつかの文章を続けて言われてもそれを記憶する力、いわゆる「メモを取らずに記憶を保持する力」を鍛えることが「鍵」となります。

残念ながら実際のビジネスシーンで、しっかりメモを取る余裕はないと思います。これは実は通訳も同様で、私はメモはほとんど取りませんでした。ですので少なくとも練習の段階では、「メモを取らない力」を養っておくことが重要です。

リプロダクションとは、外国語の音声を一通り聞いてから、自分でその外国語の文をそっくりそのまま口頭で再現（復唱）するトレーニングです。

もともと、通訳者専門のトレーニング方法だったのですが、ビジネスレベルのリスニングでも役に立つため、最近では一般の上級レベルの英語学習者にも取り入れられるようになってきました。

最初は1文ずつ、慣れたら2～3文まとめてと伸ばしていきましょう。この勉強法は、記憶保持力、集中力を鍛え、結果としてリスニング力、スピーキング力、語彙力、文法や構文の知識などが養われます。

これまでは「単語」「表現」レベルでの瞬発力を鍛えてきましたが、ここからは文章単位でいきましょう。

先ほどの例文でいえば、

Finally, Ichiro brought down the curtain on his remarkable 28-year baseball playing career on March 21, 2019, in front of his enthusiastic fans at Tokyo Dome.

を聞いて記憶した後に、そのまま同じ文を発声するのです。要は「リピーティング」です。

そして、この一文ができたら、次の

"When I look back on my career, I will no doubt remember today as the most memorable day. After the reception I got today, how could I possibly have any regrets?" Ichiro told a news conference.

までを最初の Finally から続けて発声する練習をします。

大変つらい練習ですが、私の外交交渉の経験からも、相手の話す内容を記憶して長く保持し、自分の発信を的確な内容にするために大変効果的でした。

ただ、この練習のためには題材に「音声」が付いている必要があります。このレベルまで来られたあなたは、音声付きの題材を選んでください。

注意点としては、あなたが上級者でない限り、初めての文章でこの練習はしないほうが良いと思います。これまでに述べたとおり、リスニングはあくまで復習として行うのが鉄則です。

⑥「要約力」を磨くサマライイジング

よく大学入試などでリーディングテストの一環として要約問題がありますが、実際のビジネスシーンや外国人とのコミュニケーションで求められるのは、相手が話したことをいかに短時間で自分の脳で要約してポイントをつかみ、それをベースに次の発信ができるかです。

そのためには、外国語の例文を音声でパラグラフあるいは文章のまとまりとして聞いて、それをあなたの脳の中で簡潔に日本語で要約して、紙に書き出す練習が効果的です。

これを通訳の世界では、「サマライジング」と言います。

要約した内容を紙に書き出すのは、そうしないとあなたの脳で要約した内容を可視化して誤りを正すことができないからで、これは本番でのメモの練習ではありません。

先ほど述べたように、ビジネス本番ではメモは取れないことを前提に、できる限り記憶する練習をしましょう。枝葉末節にとらわれるのではなく、文脈上大切なキーワードを拾い、それを文章化することがポイントです。

また、より簡単な練習としては、日本語のニュースを30秒聞いてから、日本語で要約して紙に書くことです。日本語から外国語に置き換える能力がある程度上達したら、ここからは、理解力や知識力のレベルになるので、外国語ではなく日本語で訓練することも可能です。

⑦「理解力」を強化するＤＬＳ（Dynamic Listening and Speaking）

外国人とのビジネスシーンでは、あなたからの自己発信だけでなく、どうしても外国人の話を長い時間聞く場面も出てきます。

そこであなたは、リスニングした内容を瞬時に理解し、適切な発信をしていく必要があります。

そのためには、大量の外国語を聞いて自分の脳で理解し、能動的に発信するための組み立てを行い、実際に外国語で発信する練習が必要です。これを通訳の世界では、DLS（Dynamic Listening and Speaking）と言います。

相手の長い発言を正しく理解し、自分の意見を論理的にまとまった形で表明できるかが「鍵」となります。

先ほど要約の訓練について説明しましたが、この訓練の違うところは、耳で聞いた外国語を日本語に要約した後、それをベースに発信するところまで行うことです。

ビジネスシーンでの能力としては「最高レベル」と言えるでしょう。

先述のトンシー教授が大変好んだ勉強法で、私もエジプトでの研修時代、最後の仕上げとしてこの練習を同教授の前で繰り返し行い、外交交渉に臨む準備をしました。

このレベルになると題材はあなたのビジネスに関係ある内容でありながら、未知なものを選ぶ必要があります。まずは30秒程度のニュースを題材にしてみましょう。

最初は大変難しく感じると思います。本番のビジネスシーンでは、外国人の話すことを1回しか聞けないのが普通ですが、まずは3回繰り返し聞いて、脳で構想を練りましょう。その後、ニュースの長さを1分、2分と伸ばし、聞く回数も最終的には1回でできるよう繰り返しやりましょう。

そして、この練習を経て、あなたが発信した内容は、「自己発信ノート」に入れておきましょう。あなたがこのレベルを耐えて「自己発信ノート」に入れた内容は、ビジネス本番でそのまま使えるものになっていると思います。

第6章　通訳のすすめ

通訳をやると、あなたの語学力は確実にアップします

最後に「通訳」という「仕事」について述べたいと思います。

まず、あなたが、ビジネスでプレゼンするにせよ、商談で交渉するにせよ、社長の右腕として通訳を務めるにせよ、日本語を外国語に置き換え、外国語を日本語に訳すというプロセスは実は一緒だということを改めて強調させていただきます。

違うのは、他人の言葉を訳すのか、自分の脳から出た言葉を訳すのか、それだけなのです。

そして、当たり前かもしれませんが、やはり他律的な通訳のほうが、自分の脳が基点の自律的な発信より大変です。

皆さんも、通訳を実際にやってみると、いかに難しいかわかると思います。

いくら勉強しても、通訳の現場に立つと、日本語と外国語の置き換えがなかなかスムーズにはできないことに気づくはずです。特に、はじめのうちは上手くいくほうが稀でしょう。

しかし、通訳という場で瞬発力を鍛えることによって、外国人とのコミュニケーシ

ョン、自ら行うプレゼンや交渉でも、よりスムーズに外国語が出て来るようになるのは間違いありません。

他人の言葉を訳すことができれば、自分のプレゼンでも、たとえば質疑応答では、自分の脳から出た日本語を外国語に訳せばいいのですから、かなり楽に答えられるようになるでしょう。

自分の語学力を伸ばすための総仕上げとして、是非、社内外での通訳に挑戦していただきたいと思います。

通訳は日本人と外国人の橋渡しです。自分の外国語が役に立つ快感を味わってください

ビジネスシーンとは別に、「通訳」の「醍醐味」についても触れたいと思います。

一口に通訳といっても、その形式の違いにより、相手の発言が完全に終わってから訳し出す「逐次通訳」と、話し始めると同時に訳し出す「同時通訳」があります。

また、その種類としては、街角で困っている外国人と日本人とのコミュニケーションを助けることもあれば、ガイド通訳、各種国際大会でのボランティアとしての通訳もあります。さらに、ビジネスシーンの社交レセプションでの通訳、大事な商談、外交官で言えば外交交渉（その最高峰が首脳会談です）などもあります。

最近は、多くの外国人が日本に住むようになり、医療通訳や司法通訳の需要が増えています。

そして、どういった機会であれ、皆さんは、自分が苦労して習得した言語によって人と人との架け橋になっている、大きな視点で言えば、あなたの言語が社会のグローバル化の一助となっているのです。

そのことをまずは実感していただきたいと思います。

通訳は言葉を訳すだけが仕事ではありません。人間の「心」はAIでは決して伝えられないのです

皆さん、通訳という仕事、職業を単に語学屋のやる仕事だと軽く見てはいませんか。

語学ができない人が言い訳として、語学はできなくても通訳に任せておけばいいのだと言うことがあります。あたかも上司が部下に何かを任せる感覚です。

しかし、これは通訳という仕事の本質をわかっていない浅はかな考えです。通訳イコール言語変換マシーンとでも思っているのでしょう。

その方は通訳の底力というものをわかっていないのです。

本当にできる通訳は、言葉の置き換えという作業をまずは行いつつ、そこから瞬時に、その発言者の意図、メッセージが相手に伝わるよう、より良い表現、単語を選定していくのです。人間の「心」を伝えるのです。

それはＡＩには決してできません。ＡＩには人間の感情、「心」までは読み取れないからです。通訳者は被通訳者の「分身」となり、同じ脳の構造を持つところまで努力します。

逆に言えば、言葉の単純な置き換えしかできない通訳は、ポケトークなどの機械にやがて淘汰されるでしょう。

すなわち、優秀な通訳を自社で育成することができれば、その通訳はまさに会社の「心」を代表して社運をかけた交渉に臨むのです。

大事な商談になればなるほど、自社で育てた通訳は社長や取締役の発言の意図を汲んで、最も相応しい表現でそれを相手に伝え、商談を成功に導いてくれるでしょう。

あなたもどうか自分の語学力で会社をリードしてください。通訳は社益を代表する極めて重要なポストで、社長の右腕と言っても過言ではありません。

外交の世界で言えば、それは日本の国益をかけた戦いです。総理大臣の通訳はその最高レベルであり、総理大臣の「分身」である必要があるのです。

準備の徹底度で本番の成否が決まります

ここでは、1週間後に迫った通訳について何をどの順番で準備していけば良いのかシミュレーションし、その中で「ノウハウ」をお伝えしたいと思います。

ビジネスパーソンのあなたは、プレゼン、商談での交渉、社運をかけた大一番での通訳を想定してください。

ただ、あらかじめ強調しておきたいのは、どんなに「ノウハウ」を身につけても、結局は、被通訳者の話す日本語、外国語をいかに通訳が「深く理解したか」に尽きること、通訳は自分の知らないことを訳すことはできないので、知らないことがないように事前に最大限の準備をすることが肝要だということです。

そのためには、日頃から外国語の能力の維持・向上、日本語では、たとえば通常の業務時におけるプレゼンなどでも物事をわかりやすく人に説明する努力を続けること、内容面ではあなたに関係があるトピックを絶えずフォローしておくことなどがポイントとなることは言うまでもありません。

作戦ペーパーの入手、翻訳

どんな会談、商談でも、事前の作戦ペーパーがあるはずです（最近は最初から英語で作成している企業もあると思いますが、まだ日本語で作成しているところも多いでしょう）。そこには、こちら側の発信内容と、相手側の出方について多数の想定問が作成され、その回答も入っていることでしょう。まずは、それをしっかり入手し、全文を外国語に訳します。

会談、商談での冒頭部分は、比較的作戦ペーパーの想定通りに進むことが多いと思いますので、事前の訳出作業は怠らないようにしましょう。

プレゼンや商談であれば、あなたの発言部分はあらかじめ外国語に訳しておきましょう。あなたの「自己発信ノート」が充実していれば、毎回の準備もスムーズにいくはずです。

被通訳者に関する情報収集

すでに通訳を経験している方の中には、作戦ペーパーの翻訳だけでも対応可能と考えている人もいるでしょう。

しかし、被通訳者の情報収集もそれと同じくらい重要です。

なぜなら先ほど述べたとおり、通訳は発言のみならず、被通訳者の「心」も含めて相手方に伝えることが任務であり、被通訳者の情報を持っていたほうがよいのは当然です。

通訳としては、これらの情報も事前に入手しておくことで、本番での慌て具合が大いに軽減されます。

たとえば、エジプト大統領と日本の総理大臣の通訳であれば、先ほどの作戦ペーパーに加え、両者の過去の会談記録を徹底的に読み込みます。

次の会談はそれをベースに始まることが多いからです。

また、それぞれの直前のあらゆるトピックに関する発言も調べて、両者の直近の関心事項を分析し記憶しておくのです。

なぜなら会談では最近の双方の動向、関心が話題になることが多いからです。

また、夕食会などの場合は、エジプト大統領の食事の好みの情報収集も不可欠です。料理を前にすると、食の話題になることも多いので、事前に関連する単語などを調べておくのです。

何もそこまでしなくても良いのではないかと考える方もいると思いますが、私としては、結局、このような小さな事前の努力の積み重ねが、通訳ミスを防ぐ最大の防御策であると考え、長年実践してきたつもりです。

「オリジナル単語帳」の見直し

急に通訳、プレゼンの依頼が来ても、これだけ見れば安心というような単語・熟語集（できれば1時間程度で見直せるコンパクトなもの）を各自で用意しておくのが望ましいと思います。

それが、まさにこの本で提唱した自分仕様の「オリジナル単語帳」です。

これを最初はゆっくりと時間をかけて見直し、徐々にその時間を短くして繰り返し、記憶を確かなものにしていくのです。

私は、通訳本番の前に、自分の「オリジナル単語帳」を最初は60分、2回目は30分、3回目は15分、最後は5分で見直すことが儀式でした。これが、この本でお伝えした「瞬発力」の最終確認作業です。

また、本番前には、これまで自分が学習してきた内容を繰り返し聞いて（私の場合は、エジプト研修時代のニュース番組、討論番組をCDに録音しておきました）、自分は外国語を聞ける、理解しているとの自信を深めていくことが重要です。通訳の依頼を受けてからは、新しいものに手を出してはいけません。

イメージトレーニングで本番モードへ

先ほどの作戦ペーパーなどをベースに、どういう会談、商談になるかをイメージトレーニングしておくことも大切です。

まず、会談の冒頭は、自分がこういう発言（訳出）をし、相手がこのパターンで発言してきたら、このラインで発言（訳出）しようという感じです。

そして、通訳前日は、私は必ず風呂場で日本側要人の想定される発言を、紙を見ずに大きな声で淀みなく言う練習をしていました。

そうすることで、会談、商談が始まってからの自身のパフォーマンスのイメージも湧き、自信を持つことにつながるのです。

実際、本番が始まってしまえば、作戦ペーパーの内容が100パーセントそのまま読み上げられることはまずありませんが、そこに書かれている文章は暗記しておくのが望ましいと思います。

日本側要人の発言は大丈夫との自信を持っておくことで、その分どういう出方で来るのかわからない相手側の発言に、少しは余裕をもって対応することができると思います。

一発勝負のスポーツの試合に臨む気持ちで

会談、商談に向けては、緊張しすぎてもいけませんが、リラックスしすぎても良くありません。

この微妙なバランスが「肝」となります。

要は、一発勝負の「スポーツの大一番」に臨むような気持ち作りが大事なのです。

まずは「集中力」。それを維持するためには健康、健全な体が必要であり、言うまでもなく通訳をする前の晩に飲みすぎない、会談が午前中であれば朝食はちゃんと食べ、午後であれば眠くならないように昼食を食べすぎない、当たり前と思われることを実際にきちんとやれるか否かが勝負の分かれ目になります。

また、よくスポーツ選手が、試合の前に音楽を聴いて気分を落ち着けあるいは盛り上げていますが、私の場合も、エジプト研修時代に親しんだニュース番組のイントロを聴き、自分はできるとの自信を持たせ、そしてアラビア語の世界に入っていく環境を作りました。

最初の通訳に成功すると、その後は験担ぎの意味合いもあり、結局ずっと同じイントロを聴いていました。

本番での段取り、自分の動きを確認する

どのような会談、商談でも、直前に内部打ち合わせがあるでしょう。そこで、会談や会食の場所、タイムスケジュールを入念にチェックし、特に通訳がどこに座るのか（なかでも会食の場合、通訳の位置は難しい）をよく確認しておく必要があります。

本番が始まれば通訳がいなければ会談は成立しないことを自覚し、自身の細かな動

きまでシミュレーションしておくことが本番で成功するための秘訣です。
こういうところでもたつくと、本番が始まる前に余計な動揺を自分に与えることになるので万全を期しましょう。

本番開始。やりきったとの気持ちをもって

さあ、準備は終わりました。いよいよ本番です。大事な会談、商談になればなるほど、本番に臨む緊張感は半端ないでしょう。でも、あなたはもう十分に準備してきたのです。やりきった、あとは人事を尽くして天命を待つ気持ちで本番に入りましょう。
私も、数多くの首脳会談の通訳を務めましたが、任務を全うできたのは、やはり徹底した準備のおかげだったと思っています。

「テンポの良さ」と「大きな声」が通訳の要諦

会談が始まり、被通訳者の発言が終わったら、とにかく「間髪を入れずに訳し出す」ことが会談に心地よいテンポを与え、同席者に安心感をもたらします。

私は第5章のクイックレスポンスの説明で「置き換え」は1秒以内でと書きましたが、実際は総理大臣レベルの通訳ともなれば、ゼロ秒台前半、本当に「間髪を入れずに」訳し出す必要があります。

日頃のイントロクイズの練習の成果が問われるのです。

しかし訳出ができないからといって、「アー、ウー、エー」と言って間をつなぐのは絶対ダメです。

そう言われると、誰もがそのとおりと思うでしょうが、実際通訳をやってみると、瞬時に外国語と日本語の対比作業ができず、何も話さないのもまずいので、間をつなぐために、「アー、ウー、エー」を言ってしまうものです。

本番で相手の発言を訳し始めるのに2秒かかったら、たしかに、やむをえないかもしれません。

しかし、これを言う通訳は、まわりから直ちにダメ出しされます。なにせ耳障りだからです。

また、会談の成否を決する「テンポの良さ」が完全に失われることになります。

これはなぜ起こるかというと、日本語→外国語、外国語→日本語への切り替えのスピード、「置換力」が遅いからです。

こういう人には、「瞬発力」を鍛えるために、クイックレスポンスの練習を徹底的にやることをおすすめします。

また、交渉や商談における発言の際に、こういう間をあけると、相手側に外国語の能力不足だけでなく、自信のなさともとられ、足元を見られかねませんので注意が必要です。

また、「声の大きさ」「張り」も、良いパフォーマンスの観点から「テンポの良さ」と並んで大変重要です。特に会談の出席者が多い場合は、通訳は声が通るよう、とにかく大きな声で発言することが大切です。これは基本中の基本ですが、意外とできない人が多いです。

プレゼンにおいても同じです。大きな声で堂々と、この本で鍛えた語学力を発揮しましょう。

メモに頼らない

通訳をしているときに話し手の一言一句を書き留める暇、余裕はまったくありません。

むしろメモに頼ろうとすると、聞きながらポイントを頭に焼き付けていくという作業がおろそかになります。

通訳の評価は、被通訳者の話を聞きながらこれをある程度頭の中でまとめ、ニュアンスは活かしつつ、「要点を迅速に訳す」ことができるか否かで決まります。

私は、数字、国名、地名、人名など間違えると特に目立つものについてのみメモを取ることにしていました。

これは、ビジネスの交渉でも同じです。

相手の言ったことのメモ取りだけに集中していたら、相手側が発言し終わった後に、こちらが言うべきことを考えるのが間に合わなくなります。そして、その反応の遅れは、相手にこちらの能力不足と見なされかねないのです。

通訳は言葉ではなくメッセージを伝えましょう

通訳の場数を踏んでいない最初の頃は、「一言一句」完璧に訳す必要があると考え、特に初めての通訳のときは、前夜にうなされそうになります。

しかし、「まわりの人に失敗だと思わせない程度で成功」と考えれば、幾分か気が楽になるのではないでしょうか。

そこで何が「成功」で何が「失敗」かということですが、これは会談、商談の同席者に、「ひどい通訳だった」と思わせないレベルでひとまず「成功」と考えてよいでしょう。

すなわち、通訳の能力不足のために、会談が途中で止まったり、明らかな誤訳で流れがおかしな方向に行ったりすることなく終了すれば良しとするのです。

もちろん経験を積むにつれ、会談出席者のレベルも上がっていくでしょうから、いつまでもそのレベルでいてはまずいですが、最初はこれぐらいのリラックスした気分で入ったほうが良い結果が出ると思います。

とにかく会談途中にパニックになることだけは避けねばなりません。

実際、一言一句訳すのはおそらく不可能で、またそれを目指すと「失敗」しやすいと思います。特に長い文章の場合にそれをやろうとすると、途中で頭がパニックになり、会談がストップするという大失敗をおかしかねません。

これらを回避するうえでも、第5章で学習したように日頃から「メモを取らない力」「要約力」を身につけておくことが肝心です。

本番では思い切り背伸びして、あなたの実力を見せつけましょう

日本の外交官が外国の要人に対し、どれだけレベルの高い外国語を見せられるかは、日本がその国、地域をどれだけ重視しているかの象徴であり、相手国からの試金石でもあります。

そのため外務省の44言語の通訳官は、国家の威信、品格を体現し、言葉で国益を背負っています。

それでは具体的にレベルの高い語学力とは何かというと、やみくもに難解な単語、表現を使うことではありません。

もちろん、格好いい言い回しや慣用句が使えればすばらしいですが、それよりもたとえば基本的な表現について、同じ単語や言い回しを繰り返し使用することを避けるなど、通訳の語彙、「表現力」が貧弱であるとの印象を先方に与えないようにすることが重要です。

たとえば、第5章で述べたように、「精一杯努力する」については、一つの会談の中で、同じ表現ではなくできる限り違う表現を上手く使い切っていくことが望ましいです。

これは練習の段階では比較的簡単でも、本番で使いこなすのは意外に難しいものです。

どの外国語でも同義語は多数あるので、同義語がある場合は、一つの会談で一つでも多く使用するよう心がけましょう。

皆さんもあなただけの「オリジナル単語帳」をベースに「表現力」を伸ばし、本番では精一杯背伸びしてください。

通訳は黒子だがマネージャー

通訳は、当事者の会話の間（ま）を上手くとること、必要以上に当事者に長く話させることなく、絶妙のタイミングかつ自然な形で割って入って、訳し始めることが大切です。

たとえば1分の日本語の発言を外国語に訳す場合は、基本的に同じ1分かかると思ってよいでしょう。

実際、1分話しっぱなしというのは相当長い時間に同席者は感じます。通訳にとっても、それだけの時間の発言を記憶するのはたとえメモがあっても困難であり、たいてい訳はその半分の30秒くらいになりがちです。

その場合、結局、半分は省略していることになってしまい、同席者にこの通訳は日本語と外国語のバランスがおかしいのではないか、ちゃんと訳しきれていないのではないかという印象、場合によっては懸念を与えてしまいます。

また、通訳を通した会談に慣れていない被通訳者の中には、話し始めたら止まらなくなる方も多く見受けられます。

会談において、通訳は黒子ではありますが「マネージャー」でもあります。通訳がこれ以上訳せないと思ったら遠慮なく手で合図するなりして、さりげなく遮らなければなりません。

もちろん相手に無礼と思わせてはいけないので、テクニックは必要となりますが、遮らない結果として、相手が2分話したものを30秒で訳したら、同席者は大変心配し通訳の能力が直ちに疑われます。これが一つの会談で続くようだと「失格」の烙印を押されかねません。

集中力、持久力の限界

一口に首脳会談といっても、15分程度の短い儀礼的なものから、中身が重く長時間にわたるものまで様々です。

私にとっての最長は4時間で、首脳会談、食事会、共同記者会見をぶっとおしで通訳しました。

英語などと違い、アラビア語には相手国、地域からの通訳官が存在しないので、日本側がすべて一人でやる必要があるのです。

それは、集中力、持久力の限界への挑戦でした。

このとき上司から、最後の共同記者会見では、同じ言葉、表現を繰り返し使っていたと指摘されました。これまで培ってきたはずの「表現力」に乱れが生じてしまったのです。今でも指摘していただいた上司には感謝しています。

やはり普段から会談が長時間になっても「集中力」を保つ訓練をしておかないと、こういう追い込まれた場面で苦しくなるということを肝に銘じました。

強い責任感とかいた汗の量が苦しいときの最後の突破口に

どんなに準備が万全でも、やりきったとの気持ちで臨んでも、やはり本番では何が起こるかわかりません。

どんなに気をつけていても体調を崩すこともあるでしょう。

特に通訳は1分だけでも大変に感じるでしょう。

それが30分、1時間、先ほど述べたように4時間ぶっとおしで通訳ということもあります。

そのような中で、完璧に想定どおりに物事が進むことはありえないと思います。会談途中で細かなミスがあっても、引きずらずに前に進める力があり、良い意味で緊張しないなど、心臓に毛が生えていることが重要です。

私もその場では終わったことを振り返ることなくひたすら前進あるのみとの姿勢で頑張っていますが、会談が終わった後には、ピンチだったなぁと思うこともたびたびありました。

途中で疲れて集中力が途切れ、会談から逃げ出したい気持ちになることもありました。

そんなとき、最後に「突破口」になるのは、通訳を成功させようという「強い責任感」と「気迫」だと思います。あなたのビジネスでのプレゼン、商談でも同様です。

私も多数の通訳を行う中で、何度も修羅場を経験しました。

たとえば、アブドッラー・サウジアラビア国王（２０１５年に逝去）のアラビア語は、おそらくアラブ首脳の中で最も通訳泣かせ（声が小さく、発音が不明瞭かつ一言一言が短い）と言われていました。

実際、私が同国王との間で通訳を行ったときも、日本政府要人の発言に比して国王の発言が極めて短いため、私は発言内容を明確にしようと国王に直接アラビア語で話しかけ、発言の意図を確認した上で日本語に訳しました。

また、夕食会の席では、周囲が騒がしく国王の発言が良く聞き取れなかったこともあり、上手く通訳できず、国王が英語で話し始めたことがありました。

私はアラビア語通訳なので、英語で会話が始まってしまえば、私の任務は「失敗」になってしまいます。

本当は通訳はジェスチャーを使うことは御法度ですが、何とか身振り手振りも交えてアラビア語で通訳し、再び国王はアラビア語で話し始め事なきを得ました。

また、通訳にとって最も厳しい場面の一つは、レセプションの挨拶などで、あらかじめ用意された原稿をそのまま読んでいただけず、すべてアドリブで話される場合です。

特にレセプションなど大勢の客、マスコミが入っている場面の通訳は、通訳の間違いがそのままお茶の間に流れるという意味でプレッシャーがかかります。

私は数多くの政治家の通訳も務めてきましたが、「アドリブ力」「機転力」のすごい政治家もいらっしゃいました。

ワンフレーズが得意で、文字通りに訳したのではなかなか外国人には正確にわかってもらえない表現をよく使われる政府要人もいらっしゃいました。

先ほど私は、通訳は被通訳者が話した時間に等しい時間で訳出するのが基本と述べましたが、こういうときは例外で、時間をかけても背景から説明することを心がけるべきです。

また、喜怒哀楽の激しいパフォーマンスを意図的にされる方の場合も、通訳の力量が如実に出てしまいます。

通訳にとっては、被通訳者の思いを正確に相手に伝え、相手も同様の感情を分かち合えるようにするのは「腕の見せ所」でありますが、同時に「失敗への近道」でもあるのです。

正直に言えば、首脳会談よりもレセプションの通訳の方がはるかにどきどきさせられる総理大臣もいらっしゃいました。

そのたびに、私はこれまで述べてきた通訳として求められる力を総動員して、なんとかピンチをしのいできました。

要は、本番が始まってしまえば、ピンチを脱しようとする「必死さ」、何としてもミッションを成功させようという執念が「最後の砦(とりで)」になるということです。

2004年10月、官邸で総理大臣の通訳を務める著者。

総理通訳の「醍醐味」

先ほど通訳は一発勝負のスポーツの試合に臨むのと同じと述べましたが、総理大臣の通訳として首脳会談を何度経験しても、始まる前は独特の緊張感に包まれます。

首脳会談の前には、総理大臣が相手国首脳に何を発言するかなどを確認する直前勉強会が行われます。会談の直前でもあるので大変ぴりぴりした雰囲気になります。

通常、総理大臣の通訳もこの場に同席しますが、突発事態も含め最新の情勢確認を行うため、それまで準備していた発言ポイントが直前で修正されることもあります。また、総理大臣ご自身が今日はこういう発言をしようとおっしゃることもあります。

総理大臣の通訳としては、そこで何か知らないキーワードが出てきたら大変ですが、じたばたしている暇もなく、最後は自分を信じて腹をくくって臨むしかないのです。

また、首脳会談になると、通訳は絶えず大勢の報道陣の前で行うことになります。通訳者は両首脳に加え、マスコミも意識しながら「大きな声で」通訳を行わなければなりません。

幸い私は、総理官邸などで中東諸国の要人との首脳会談の通訳を数多く行うことができましたが、それでも毎回、こういう厳しい雰囲気、緊張感の中で、無事に会談が終了したときは、へなへなとなるような安堵感につつまれました。

そして無事、任務終了後、その会談がテレビに流れ、総理大臣の隣にいる自分も映っていたら、大役を果たせた満足感に浸れ、次も成功させようという意欲が湧きました。

これは一度経験すると忘れられない、総理通訳の「醍醐味」でもあります。

おわりに

さて、皆さんがこの本でしっかりと勉強し、私が強調した万全の準備の結果、ビジネスでのプレゼンや商談の中で、自分の言いたいことを堂々と話せたとすれば、私にとってこれほどの喜びはありません。

私は、ここまで、外国語学習を始める方には自信を持ってもらいたいと思い、あえて強調しませんでしたが、最後まで読んでくださった皆さんには、是非伝えたいことがあります。

皆さんには、それぞれ様々な外国語学習の目的があると思いますが、ビジネスパーソンにとっては、外国語が外国人との単なるコミュニケーションツールに留まってはいけません。

もちろん、コミュニケーションをとれることは重要ですが、ビジネスパーソンにとって本当の外国語学習の狙いは、相手国の現地語を習得することで、相手国の歴史、文化、価値観に精通し、交渉を有利に進めることでなければならないはずです。

いわずもがなですが、ビジネスの成否は、いかに相手の置かれた立場、状況を事前に察知し、その弱点を突いていくかだと思います。そして、これをグローバル社会においては、相手の言語を通じて行う必要があります。

この観点からいうと、日本の外国語教育やビジネスパーソンが力を入れる外国語が圧倒的に英語に偏(かたよ)っていることに私は強い危機感を覚えています。異文化理解が重要と一方では言いながら、実際は英語を「国際共通語」と定義して、その国際共通語さえできればOKという雰囲気を感じるのは私だけでしょうか。

真に異文化を理解するには相手国の現地語を習得し、その言語を通じて、歴史、文化、価値観を吸収していく必要があります。

英語だけでは、母語話者としてはアメリカ、イギリス、カナダ、オーストラリア、ニュージーランドなど、世界の全人口約77億人のうち、4億人弱しかカバーできないのです。

しかも、現在のグローバル社会では、実際は英語のノンネイティブ圏とのビジネスのほうが圧倒的に多くなっています。

ビジネスの世界において英語はもちろん重要ですが、ノンネイティブ圏とのビジネスにおいて、英語だけではノンネイティブスピーカー同士、五分五分の立場での交渉になってしまいます。

ビジネスを真に有利に進めるには、相手国の現地語を習得し、相手の懐に入る必要があるのです。

私は、英語が重要でないと言うつもりはまったくありません。しかしこのグローバル化、「多様化」の時代に、なぜ日本人は英語ファーストという「画一化」「均一化」の方向に進もうとするのでしょうか、世界の時流に逆行しようとするのでしょうか。

グローバル化の波が押し寄せ、異文化コミュニケーションの重要性が強調される時代だからこそ、日本人はもっと英語以外の言語にも目を向ける必要があると思います。

これから日本人が世界のいくつの言語を話せるようになるかが、国際社会における日本人の寛容性、多様性や、日本へ来る観光客への「おもてなし」精神の試金石になるのではないでしょうか。

ちなみに、国連では、英語、フランス語、スペイン語、中国語、ロシア語、アラビア語が公用語として認められています。日本人は何も英語を使わなくてもよく、アラビア語で話しても構わないのです（同時通訳が各公用語に訳します）。

先述のように、現在外務省は44言語（参考1）の専門家を育成し、相手国に食い込み、外交を有利に進めるべく努力しています（参考までに、アメリカ国務省の「Foreign Service Institute（FSI）」という語学機関が出している世界の言語の難易度別カテゴリーも記載します〈参考2〉）。

私も、アラビア語を習得することで、アラブ人の物事の考え方を理解することができ、それによってアラブ人との外交交渉、情報収集を格段に有利に進められたとの実感があります。

これからは、企業もビジネスの展開に応じ、戦略的に各地域、国の語学の専門家を育成していかなければ、厳しさを増すグローバル社会では到底生き残れないと思います。

いきなりは難しいとしても、せめて非英語圏とのビジネスシーンにおいて、商談の冒頭だけでも現地語で挨拶できたら、その商談の雰囲気はかなり良くなり、ビジネスもスムーズにいく可能性が高くなるのではないでしょうか。

（参考1）外務省採用の専門言語

英語（アメリカ、イギリス、オーストラリア、カナダ）、フランス語、スペイン語、ロシア語、中国語、アラビア語、ドイツ語、朝鮮語、ポルトガル語、インドネシア語、トルコ語、ペルシャ語、ベトナム語、セルビア語、ポーランド語、タイ語、ヒンディー語、モンゴル語、イタリア語、ミャンマー語、カンボジア語、ブルガリア語、チェコ語、ルーマニア語、ラオス語、ハンガリー語、ウルドゥー語（パキスタン）、ヘブライ語（イスラエル）、ベンガル語（バングラデシュ）、シンハラ語（スリランカ）、ギリシャ語、デンマーク語、スワヒリ語（タンザニア）、フィリピノ語、マレー語、ノルウェー語、フィンランド語、スウェーデン語、オランダ語、ウクライナ語、スロバキア語、スロベニア語、カザフ語、クロアチア語

（参考2）アメリカ国務省付属の語学機関による語学難易度

カテゴリーⅠ（英語に近い言語）イタリア語、スペイン語、フランス語、オランダ語、デンマーク語、ポルトガル語、スウェーデン語、ノルウェー語、ルーマニア語

カテゴリーⅡ（カテゴリーⅠより英語から遠い言語）インドネシア語、ハイチ・クレオール語、スワヒリ語、マレー語、ドイツ語

カテゴリーⅢ（難しい言語、英語とは大きな隔たりがある言語）アルバニア語、カザフ語、スロベニア語、タガログ語、チベット語、ミャンマー語、ブルガリア語、ベンガル語、アルメニア語、ギリシャ語、ソマリ語、タジク語、トルコ語、ヒンディー語、ベトナム語、マケドニア語、ウルドゥー語、クメール語、タイ語、チェコ語、ハンガリー語、フィンランド語、ヘブライ語、モンゴル語、ロシア語など

カテゴリーⅣ（非常に難しい言語）アラビア語、中国語、韓国語、日本語

最後に、この本を終えるにあたって、グローバル社会で日本人のアラビア語がアラブ人に評価されたエピソードを紹介させてください。

２００４年10月にイラクで日本人が拘束され人質となった際に、当時の町村信孝外務大臣が、外務省の大臣室から、中東における最大メディアの一つアルジャジーラ放送を通じて、犯人グループに日本人の解放を働きかけました。

私は当時、外務省のアラビア語通訳官として、町村大臣の日本語メッセージをアラビア語に同時通訳したので、私のアラビア語が中東の民衆のあいだに流れました。

それから十数年の月日が流れた２０１７年10月、そのアルジャジーラ放送のラーイド・バダウィ記者から、私に会いたいとのメッセージが外務省の担当課経由で届きま

した。

「日本の外交官で、アルジャジーラ放送でアラビア語の同時通訳を完璧にこなした人物、アラブ人のようなアラビア語を話す日本人と、声を聞くだけでなく、実際に会いたい」とのことでした。

そして、同月、バダウィ記者が外務省の招聘プログラムで初めて訪日した際に、私は外務省を訪れた同記者と懇談する機会を得ました。

同記者は、「アルジャジーラ放送では、基本的に生放送での同時通訳は失敗のリスクが高いので行わないことになっており、2004年当時、自分は番組の責任者として相当不安だった。ましてや日本語・アラビア語の同時通訳など想像もしなかったが、なんとか解放に向けたメッセージを無事に放送できた。あのときのあなたのアラビア語力がなければ、私は番組の失敗の責任をとらされて首になっていたかもしれない。あれからずっと直接会ってお礼を言いたかったが、今日会えて本当に嬉しい」と私に語ってくれたのです。

十数年の年月が経過しても、日本人外交官の存在、しかもアラビア語という「言語」を通じて私を覚えてくれていたことに私は大変感激しました。

この出来事は、四半世紀前、まさかのアラビア語を命じられた私がこの本を書く大きなきっかけにもなりました。

「外国語」を習得することは、このように日本と世界をつなぐ「架け橋」になるということを、皆さんに是非わかっていただきたかったのです。

ここまで、私の勉強法にお付き合いいただきありがとうございました。

この本で紹介した勉強法を参考に、一人でも多くの日本人が外国語を習得し、グローバル社会で活躍されることを祈念いたします。

中川浩一

令和元年十一月

N.D.C.807　171p　18cm
ISBN978-4-06-518422-6

講談社現代新書　2559

総理通訳の外国語勉強法

二〇二〇年一月二〇日第一刷発行　二〇二〇年二月二六日第三刷発行

著　者　中川浩一　© Koichi Nakagawa 2020

発行者　渡瀬昌彦

発行所　株式会社講談社
東京都文京区音羽二丁目一二—二一　郵便番号一一二—八〇〇一

電　話　〇三—五三九五—三五二一　編集（現代新書）
〇三—五三九五—四四一五　販売
〇三—五三九五—三六一五　業務

装幀者　中島英樹

印刷所　豊国印刷株式会社

製本所　株式会社国宝社

本文データ制作　講談社デジタル製作

定価はカバーに表示してあります　Printed in Japan

「講談社現代新書」の刊行にあたって

教養は万人が身をもって養い創造すべきものであって、一部の専門家の占有物として、ただ一方的に人々の手もとに配布され伝達されうるものではありません。

しかし、不幸にしてわが国の現状では、教養の重要な養いとなるべき書物は、ほとんど講壇からの天下りや単なる解説に終始し、知識技術を真剣に希求する青少年・学生・一般民衆の根本的な疑問や興味は、けっして十分に答えられ、解きほぐされ、手引きされることがありません。万人の内奥から発した真正の教養への芽ばえが、こうして放置され、むなしく滅びさる運命にゆだねられているのです。

このことは、中・高校だけで教育をおわる人々の成長をはばんでいるだけでなく、大学に進んだり、インテリと目されたりする人々の精神力の健康さえもむしばみ、わが国の文化の実質をまことに脆弱なものにしています。単なる博識以上の根強い思索力・判断力、および確かな技術にささえられた教養を必要とする日本の将来にとって、これは真剣に憂慮されなければならない事態であるといわなければなりません。

わたしたちの「講談社現代新書」は、この事態の克服を意図して計画されたものです。これによってわたしたちは、講壇からの天下りでもなく、単なる解説書でもない、もっぱら万人の魂に生ずる初発的かつ根本的な問題をとらえ、掘り起こし、手引きし、しかも最新の知識への展望を万人に確立させる書物を、新しく世の中に送り出したいと念願しています。

わたしたちは、創業以来民衆を対象とする啓蒙の仕事に専心してきた講談社にとって、これこそもっともふさわしい課題であり、伝統ある出版社としての義務でもあると考えているのです。

一九六四年四月　野間省一

世界の言語・文化・地理

958 英語の歴史――中尾俊夫
987 はじめての中国語――相原茂
1025 J・S・バッハ――礒山雅
1073 はじめてのドイツ語　福本義憲
1111 ヴェネツィア――陣内秀信
1183 はじめてのスペイン語　東谷穎人
1353 はじめてのラテン語　大西英文
1396 はじめてのイタリア語　郡史郎
1446 南イタリアへ！――陣内秀信
1701 はじめての言語学　黒田龍之助
1753 中国語はおもしろい　新井一二三
1949 見えないアメリカ――渡辺将人
2081 はじめてのポルトガル語　浜岡究
2086 英語と日本語のあいだ　菅原克也
2104 国際共通語としての英語　鳥飼玖美子
2107 野生哲学――管啓次郎・小池桂一
2158 一生モノの英文法――澤井康佑
2227 アメリカ・メディア・ウォーズ――大治朋子
2228 フランス文学と愛――野崎歓
2317 ふしぎなイギリス――笠原敏彦
2353 本物の英語力――鳥飼玖美子
2354 インド人の「力」――山下博司
2411 話すための英語力　鳥飼玖美子

F

知的生活のヒント

78 大学でいかに学ぶか 増田四郎
86 愛に生きる——鈴木鎮一
240 生きることと考えること 森有正
297 本はどう読むか——清水幾太郎
327 考える技術・書く技術——板坂元
436 知的生活の方法——渡部昇一
553 創造の方法学——高根正昭
587 文章構成法——樺島忠夫
648 働くということ——黒井千次
722 「知」のソフトウェア——立花隆
1027 「からだ」と「ことば」のレッスン——竹内敏晴
1468 国語のできる子どもを育てる——工藤順一
1485 知の編集術——松岡正剛
1517 悪の対話術——福田和也
1563 悪の恋愛術——福田和也
1620 相手に「伝わる」話し方 池上彰
1627 インタビュー術!——永江朗
1679 子どもに教えたくなる算数 栗田哲也
1865 老いるということ——黒井千次
1940 調べる技術・書く技術——野村進
1979 回復力——畑村洋太郎
1981 日本語論理トレーニング——中井浩一
2003 わかりやすく〈伝える〉技術——池上彰
2021 新版 大学生のためのレポート・論文術——小笠原喜康
2027 地アタマを鍛える知的勉強法——齋藤孝
2046 大学生のための知的勉強術——松野弘
2054 〈わかりやすさ〉の勉強法——池上彰
2083 人を動かす文章術——齋藤孝
2103 アイデアを形にして伝える技術——原尻淳一
2124 デザインの教科書——柏木博
2165 エンディングノートのすすめ——本田桂子
2188 学び続ける力——池上彰
2201 野心のすすめ——林真理子
2298 試験に受かる「技術」——吉田たかよし
2332 「超」集中法——野口悠紀雄
2406 幸福の哲学——岸見一郎
2421 牙を研げ 会社を生き抜くための教養 佐藤優
2447 正しい本の読み方 橋爪大三郎